Corn

Ins Nordl

© Christian Anhalt

Cornelia Franz lebt mit ihrer Familie in Hamburg. Nach dem Studium der Germanistik und Amerikanistik, vielen abenteuerlichen Reisen sowie diversen Jobs machte sie eine Ausbildung zur Verlagsbuchhändlerin und arbeitete mehrere Jahre als Lektorin. Sie schreibt seit vielen Jahren sehr erfolgreich Kinder- und Jugendbücher, Reiseführer und Romane für Erwachsene.

Weitere Titel von Cornelia Franz bei dtv junior: siehe Seite 4

Cornelia Franz

Ins Nordlicht blicken

Roman

Ausführliche Informationen über
unsere Autoren und Bücher
www.dtvjunior.de

Zu diesem Band gibt es ein Unterrichtsmodell
zum kostenlosen Download unter
www.dtv.de/lehrer

Von Cornelia Franz sind bei dtv junior außerdem lieferbar:
Die Flipflop-Bande
Piraten im Klassenzimmer!
Das Geheimnis des Roten Ritters
Seeräuber vor Sylt!
Geheimnisse
Verrat
Poolparty

Ich danke Susanna für das gemeinsame
geduldige Warten auf das Nordlicht, dem Hotel
Arctic in Ilulissat für das schöne Zimmer und
das grönländische Wiegenlied, Gitte aus
Kangerlussuaq für die Stiefel – und meiner
Familie für die vielfältigen Inspirationen.

Ungekürzte Ausgabe
5. Auflage 2015
2014 dtv Verlagsgesellschaft mbH & Co. KG, München
© 2012 dtv Verlagsgesellschaft mbH & Co. KG, München
Umschlagkonzept: Balk & Brumshagen
Umschlaggestaltung: Lisa Helm unter Verwendung von Fotos
von Corbis und plainpicture
Satz: Fotosatz Amann, Memmingen
Druck und Bindung: Druckerei C.H.Beck, Nördlingen
Gedruckt auf säurefreiem, chlorfrei gebleichtem Papier
Printed in Germany · ISBN 978-3-423-78278-4

MS Alaska, Nordatlantik, Sommer 2020

Es war eine klare, wolkenlose Nacht, in der Jonathan Querido in einem Liegestuhl an Deck der Alaska saß und versuchte, die Panik in den Griff zu bekommen, die ihn aus seiner Kabine getrieben hatte. Er konzentrierte sich auf seinen Atem und lockerte die verkrampften Hände. Das schwerfällige Wiegen des Schiffes war hier kaum noch zu spüren. Für einen Moment konnte er sich einbilden, zu Hause auf dem Balkon zu sitzen, wo er manchmal die frühen Morgenstunden verbrachte, wenn er nicht schlafen konnte. Doch das grenzenlose Flimmern dort oben, diese Weite, die einen aufsaugte, wenn man zu lange hinaufschaute, hatte nichts mit dem Hamburger Großstadthimmel gemeinsam. Es war ein Himmel, wie er ihn in einem anderen Leben gekannt hatte.

Jonathan presste die Finger gegen die Schläfen. Die dritte Nacht an Bord und wieder hatte er es nicht geschafft. War erstickt in der Schwärze der Kabine, der schalen Luft, ausgeliefert dem Stampfen der Motoren im Bauch des Schiffes. An der Leuchtanzeige seines Handys hatte er erkannt, dass es erst halb vier Uhr morgens war. Kaum drei Stunden Schlaf. Kein Wunder, dass er sich wie erschlagen fühlte. Er hatte versucht, ruhig zu atmen, gleichmäßig und tief, so wie er es vom Judo kannte. Doch die Panik war in ihm angeschwollen. Verzweifelt hatte er den Schalter gesucht, bis er ihn schließlich fand und das

Licht anging. Reiß dich zusammen, hatte er sich gesagt, du hast ein Recht, hier zu sein, Jonathan. Du bist hier vollkommen sicher, du kannst dich frei bewegen, kannst jederzeit aufstehen, atmen, leben.

Es hatte nicht funktioniert, die Geister hatten sich nicht durch Vernunft verjagen lassen. Er war aus der Kabine gestürzt, den Gang hinunter, die Treppe hoch, obwohl es sinnlos war. Die Geister sind mächtiger, auch wenn du nicht an sie glaubst.

Als er vor vier Tagen im Hamburger Hafen, der nach der Sturmflut des vergangenen Herbstes noch immer nicht völlig instand gesetzt worden war, über die Gangway gegangen war, hatte es angefangen. Natürlich war er aufgeregt gewesen, die Alaska zu betreten, nervös und beklommen. Doch dass sich hier an Bord eine erdrückende Angst in ihm ausbreiten würde wie eine lang schwelende Krankheit, die man nicht mehr ignorieren konnte, damit hatte er nicht gerechnet. Nicht nach so langer Zeit. Unter freiem Himmel trieb die Seeluft die Angst aufs Meer, und wenn er so wild durch den Pool kraulte, dass die älteren Damen hinter ihm herschimpften, vergaß er sie manchmal sogar. Aber sobald es still und dunkel um ihn wurde, war sie wieder da. Ein Gefühl, das stets gleich ablief. Wie ein Film, bei dem es keine Möglichkeit gab, Szenen zu überspringen. Oder am besten für immer zu löschen.

Als Erstes die Furcht, entdeckt zu werden. So wie als Kind beim Versteckenspielen, wenn er im Gebüsch auf dem Boden gelegen und auf die näher kommenden Stimmen der anderen Kinder gelauscht hatte, das Gesicht in den Armen vergraben. Ein nervöses Kribbeln, das sich ganz gut in den Griff bekommen ließ. Dann plötzlich die schreckliche Erkenntnis, das Falsche getan zu haben, nicht alles bedacht zu haben, gefangen zu sein und nicht rechtzeitig herauszukönnen. Ein Druck auf den Schläfen, immer stärker, ein stolpernder Herzschlag. Und dann kam die Panik.

Jonathan umklammerte die Armlehnen des Liegestuhls und presste die Lippen aufeinander. Wie hatte er nur so unglaublich naiv sein können, auf der Alaska zu buchen? Er sah hinaus auf das Meer, das in den wenigen Minuten, die er hier saß, seine Schwärze verloren hatte. Die Sonne war noch nicht aufgegangen, aber der Himmel leuchtete schon so hell, dass die Sterne zusehends verblassten. Er hatte die Nacht überstanden. Keine zwölf Stunden mehr, dann war diese Fahrt zu Ende. Jetzt spürte er plötzlich, wie müde er war. Er gab seiner Erschöpfung nach und glitt in einen traumlosen Schlaf.

»Inuugujoq, kumoor ...«

Jonathan zuckte zusammen. Benommen drehte er den Kopf in die Richtung, aus der die Stimme kam. Eine Frauenstimme. »Inuugujoq, kumoor«, antwortete er, ohne zu überlegen. Dann war er endgültig wach. Was hatte er da gesagt? Woher kamen diese Worte? Worte, die er vergessen hatte und die dennoch da gewesen sein mussten, irgendwo in ihm, versteckt in der Tiefe seines Unterbewussten. Eine einzige Bemerkung hatte genügt, sie hervorzulocken.

Er starrte geradeaus und versuchte, die Frau zu ignorieren. Doch er nahm sie aus den Augenwinkeln wahr und es war ihm klar, dass sie sich nicht ignorieren lassen wollte. Sie lehnte wenige Meter von ihm entfernt an der Reling, Jogginganzug, neu aussehende Laufschuhe, eine Frühaufsteherin. Ihr schwarzes Haar hing ihr bis über den Rücken, so dicht und schwer, dass der leichte Seewind es nicht aus der Ruhe bringen konnte. Sie war eine Inuit, aber sie sah nicht so aus, als ob sie ihm gefährlich werden könnte. Sie schien ihn nicht zu kennen.

Jonathan konnte der Versuchung nicht widerstehen, mit ihr zu sprechen. »Inuugujoq, kumoor«, wiederholte er. Er fühlte sich, als wäre er im Stimmbruch. Die Worte klangen ungeschliffen und spröde aus seinem Mund.

Die Fremde sah ihn mit einem aufmunternden Lächeln an. Plötzlich war es ihm peinlich, so vor diesem Mädchen zu liegen, in T-Shirt und mit Boxershorts, die straff über seinen nackten Oberschenkeln spannten. Ungelenk stand er aus dem Liegestuhl auf und ging zu ihr hinüber. Aus der Nähe betrachtet sah sie älter aus, als er sie eingeschätzt hatte. Sie war sicher so alt wie er. So alt, wie auch Maalia jetzt sein musste. Sie zeigte Richtung Westen und sagte etwas, das er nicht verstand.

»Uteqqissinnaaviuk?« Auch dieses Wort tauchte aus der Unergründlichkeit seines Gedächtnisses auf, als hätte es sich nur unter der Oberfläche versteckt gehalten. Er sprach es vorsichtig aus und ließ dabei die Frau nicht aus den Augen. Wie jemand, der Falschgeld herausgibt und darauf lauert, ob der andere es bemerkt. Sie sah ihn eine Sekunde zu lange an, als ob sie versuchte, ihn einzuschätzen. Jonathan wiederholte seine Frage auf Englisch. »Could you please repeat that?«

»Wir können auch deutsch miteinander reden«, sagte sie. Sie machte einen Schritt auf ihn zu und legte den Kopf schief. So wie Maalia es gemacht hatte.

Maalia. Die letzten Jahre hatte er kaum an sie gedacht. Nur manchmal und mit der Zeit immer seltener war sie in seinen Träumen aufgetaucht, wo sie nach und nach von anderen Mädchen, anderen Frauen abgelöst worden war. Sie war ihm nicht wichtig gewesen, warum auch. Die Rolle, die sie in seinem Leben gespielt hatte, war nur die einer Statistin gewesen. Eigentlich hatte er sie kaum gekannt. Und doch war als Erstes sie ihm in den Sinn gekommen, als er erfahren hatte, dass die Alaska nach Grönland fahren würde. »Du kommst zurück«, hatte sie ihm damals zum Abschied zugeflüstert. Sie hatte ihm mit den Lippen über das Ohr gestrichen und ihm war heiß geworden trotz der Kälte, die an seinem letzten Morgen in Grönland geherrscht hatte.

Die Fremde lehnte jetzt direkt neben ihm an der Reling, ihre Ellenbogen berührten sich fast. »Ich habe gehört, wie du mit dem Steward deutsch geredet hast.« Sie hatte einen leichten dänischen Akzent. War sie eine Grönländerin, die in Dänemark lebte und dort Deutsch gelernt hatte?

»Okay, das vereinfacht die Sache.« Jonathan räusperte sich. »Ich kann nur ein paar Brocken Grönländisch. Ich ...« Er brach ab und bemühte sich zu lächeln. »Ich glaube, ich muss in die Kabine und mir etwas Wärmeres anziehen.« Mit ausgestrecktem Arm zeigte er ihr die schwarzen Härchen, die sich von der Kälte sträubten, eine Geste, die ihm selbst übertrieben vorkam. Abrupt wendete er sich ab.

Während er über das Deck zur Treppe ging, spürte er ihren Blick in seinem Rücken so intensiv, dass es wehtat. So als würde sie ihm mit dem Fingernagel die Wirbelsäule entlangstreichen. Was sah sie in ihm? Einen nicht übel aussehenden Typen mit Dreitagebart, dessen schwarze Haare zerwühlt und struppig waren, als hätte er eine wilde Nacht hinter sich? Einen unbeholfenen Penner, der am Abend zu viel getrunken hatte? Oder durchforstete sie gerade ihre Erinnerungen, weil sie ihn doch noch erkannt hatte?

An der Treppe, die nach unten führte, drehte er sich noch einmal zu ihr um. Sie lag jetzt in seinem Liegestuhl, die Arme hinter dem Kopf verschränkt, und schaute hinaus aufs Meer. Ein schönes, harmloses Bild. Nein, er brauchte sich keine Sorgen zu machen. Sie hatte ihn einfach nur für einen Grönländer gehalten, mit dem sie ein paar Worte wechseln wollte. Bleib locker, Jonathan.

Trotzdem, die Begegnung mit der Frau hatte ihn irritiert. Und nicht nur, weil sie ihn an Maalia erinnerte. Durch das kurze Gespräch hatte er begriffen, dass es sinnlos war vorzugeben, kein Grönländisch zu sprechen. Er war wie ein Schwimmer, den man ins Meer warf und der schwimmen würde, ganz gleich, wie sehr er sich bemühte, es nicht zu tun. Wenn er es geschickt anstellte, konnte er ihr vielleicht entgehen, bis sie in Nuuk ankamen. Bei gut tausend Passagieren an Bord, die meisten von ihnen Deutsche, musste es möglich sein, den Tag zu überstehen, ohne auf Grönländisch angesprochen zu werden.

Doch dann schaute er zum Horizont, der sich jetzt

scharf vom Meer absetzte. Die Alaska schob sich unaufhaltsam gen Westen, ihrem eigenen Schatten folgend. Am Abend würden sie in Nuuk einlaufen. Nein, es hatte keinen Sinn, den Kopf in den Sand zu stecken. Spätestens in Nuuk blieb ihm nichts anderes übrig, als mit anderen Menschen zu reden und sich ihrer ganz normalen Neugier zu stellen.

Als er sich zu dieser Reise entschlossen hatte, hatte er den ersten Schritt gemacht, ohne sich darüber im Klaren zu sein, welchen Weg er damit einschlug. Er war einfach losgegangen, weil es offenbar so sein sollte. Aber jetzt gab es kein Zurück mehr und auch Stehenbleiben ging nicht. Vielleicht war es ganz okay, mit der fremden Frau ins Gespräch zu kommen. Ein sicheres, unvermintes Gelände, eine Übung für den Ernstfall.

Nuuk, Grönland, Frühjahr 2011

Vorm Café Crazy Daisy tobte der Sturm durch die Straßen von Nuuk und ich klopfte mir den Schnee von der Jacke. Im Radio hatte irgendwer von Frühlingsgefühlen geredet, aber das war wohl ein Witz gewesen. Im Crazy Daisy roch es nach Kaffee, Pizza und Fisch und der Laden war gestopft voll. Halb Nuuk schien sich vor dem überraschenden Schneegestöber ins Daisy gerettet zu haben.

Ich setzte mich in meine Stammecke an den roten Plastiktisch, wo ich schon unzählige Stunden meines Lebens vergeudet hatte, und wartete auf Aqqaluk. Wir hatten uns für ein zweites Frühstück verabredet, aber wie so oft tauchte er nicht auf. Stattdessen hockte sich ausgerechnet Ingvar neben mich, und der ging mir schon nach drei Minuten auf die Nerven.

»Hör mal, Pakku«, sagte er in diesem nuscheligen Ton, den er für cool hielt. »Ist dir klar, dass du ins Guinnessbuch der Rekorde gehörst?« Er stemmte die Hand auf seinen breiten Schenkel und grinste mich an.

»Nee«, antwortete ich und rührte in meinem Milchkaffee. Wahrscheinlich kam gleich eine Anspielung darauf, dass ich Kaffee trank und kein Bier.

»Du bist der langweiligste Typ in der langweiligsten Stadt der Welt!« Ingvar lachte und haute mir auf die Schulter.

»Genau.« Ich lächelte müde. »Du hast es erfasst, Ingvar. Und deshalb gehe ich jetzt auch nach Hause und räum mein Zimmer auf. Oder ich lese ein gutes Buch, mal sehen. Jedenfalls irgendwas richtig schön Langweiliges.«

Ich nickte ihm zu, ging zum Tresen, um meinen Kaffee zu bezahlen, und ließ die Tür des Cafés hinter mir zufallen. Draußen zog ich mir die Kapuze bis zu den Augen und stemmte mich gegen den Wind. Was ging mich Ingvar an?

Eine halbe Stunde später hatte der Schneesturm so plötzlich aufgehört, wie er gekommen war, und die Sonne arbeitete daran, die Sache mit den Frühlingsgefühlen voranzutreiben. Ich saß am Computer, Wand an Wand mit meinem Vater, der im Nebenzimmer mit sich selber sprach, und spielte Backgammon. Ein Spiel, das so altmodisch war, dass ich bei Ingvar wahrscheinlich endgültig unten durch gewesen wäre, wenn er mich dabei erwischt hätte. Ich spielte mit Spider, so wie ich es fast den ganzen langen Winter über getan hatte.

du hast glück heute
glück?
zwei päsche hintereinander
wenn du das glück nennst
tu ich. du nicht?
nein
was ist denn glück für dich?
drei päsche hintereinander
das auch
...

was ist los? das war ein idiotischer zug
schlechte laune
krach mit den eltern?
quatsch

Spider hatte recht. Das *war* ein idiotischer Zug. Ich versuchte, mich auf das Spiel zu konzentrieren und die Stimme auszublenden, die nebenan herumschrie. Auch zwei Päsche nützen nichts, wenn du kurz darauf Fehler wie ein Anfänger machst.

Aber es ging nicht. Das Gemurmel meines Vaters war in Toben und Fluchen übergegangen. Es drang durch die dünne Holzwand in meine Ohren und von dort in mein Hirn und legte es lahm. Kurzschluss. Ich klinkte mich aus dem Spiel, ohne mich zu verabschieden, schaltete den PC aus, ließ mich in meinem Schreibtischstuhl zurücksinken und gab mich wehrlos dem Gebrüll hin. Mein Vater war auf Entzug, so wie in jedem Frühling. Wenn die Tage länger wurden, erwachte in ihm der Kampfgeist. Er schüttete den Rest seines Wodkas in den schmelzenden Schnee, überließ mir seine halb volle Kiste Bier und begab sich hinaus in die majestätische Natur, wie er sich ausdrückte. Das hieß, er rannte stundenlang ohne Mütze und in einer viel zu dünnen Jacke durch die vom Schnee und Eis befreite Landschaft, bis er nicht mehr konnte, kam bester Laune nach Hause und kippte dann erschöpft auf sein Bett. Drei, vier Tage machte er das so, dann war sein Akku leer. In einem letzten Aufbäumen gegen den Durst schloss er sich in seinem Zimmer ein, hustete und schimpfte und trampelte wie ein gefangenes Tier auf und ab und begann mit dem Gebrüll. Manchmal drehte ich meine Anlage bis zum Anschlag auf, um ihn nicht zu hören.

Ich wusste, dass er nicht lange durchhalten würde. Solange ich ihn kannte, hatte er es noch nie länger als sechs Tage geschafft. Aber immerhin bedeutete das fast eine Woche, in der ich Ruhe hatte vor seinen Spleens, in die er sich verstrickte, wenn er genügend Sprit getankt hatte.

Mein Vater wollte, dass ich Bienen züchtete. Ich war siebzehn und ich sollte Imker werden. Auf Grönland ... Welche Biene war so verrückt, sich hier niederzulassen? Mehr als drei Viertel des Landes liegen unter Eis begraben und noch im August wird es in Nuuk kaum wärmer als fünfzehn Grad. Grönland ... *Kalaallit Nunaat*, das Land der Menschen ... was für ein Witz. Niemand kam freiwillig hierher, ans Ende der Welt. Niemand außer meinem durchgeknallten Vater.

Die Idee mit den Bienen steckte seit dem letzten Sommer in seinem Kopf, als wir einen unserer seltenen Vater-Sohn-Ausflüge gemacht hatten. Wir waren mit dem Schiff nach Nanortalik gefahren, ganz im Süden, um dort zu klettern. Er wollte mir zeigen, dass er noch der Alte war. Der Typ, der fast den Gipfel des Ketil bezwungen hätte, wenn er damals das Geld für eine anständige Kletterausrüstung gehabt hätte. Aber er war zu betrunken gewesen, um seine Stiefel alleine zuzukriegen. Und so waren wir nur im Qinguadalen gewandert, was man auch auf Alk noch schafft. Ein paarmal stolperte er über seine Schuhbänder. Wenn ich ihn nicht am Arm erwischt hätte, wäre er der Länge nach hingeschlagen.

Im Qinguadalen gibt es richtige Bäume. Es ist eine der

wenigen Gegenden Grönlands, die so etwas wie einen Wald haben. Keine geduckten, armseligen Krüppelkiefern, die vor der Kälte kapituliert haben, sondern sechs Meter hohe Birken, durch die der Wind flirrt. Und als er die Bäume und Schafsweiden und blühenden Wiesen sah, wurde er sentimental und erzählte mir von seiner Kindheit in Dannenberg.

»Weißt du, Pakku?«, hatte er gefragt und geräuschvoll seine Nase hochgezogen. »Deine Großmutter hatte Bienenstöcke, hinten im Garten am Bahndamm. Sie hatte wirklich Ahnung von diesen Dingen. Sie hat einen wunderbaren Honig gemacht, ganz mild und weich wie Sahne. Für den würde man hier bei uns ein Vermögen bezahlen.« Sein Gesicht war von einem schwärmerischen Leuchten überzogen gewesen, was äußerst selten vorkam, wenn er von Deutschland sprach. Normalerweise fluchte er über die Deutschen und ihr spießiges kleines Land.

Am Abend nach unserer Wanderung, als mein Vater mit seinem üblichen Sechserpack Bier vor dem Brugsenladen in Nanortalik saß, um zu verschnaufen, drückte ihm jemand einen Zettel in die Hand. Man sollte irgendwas unterschreiben oder spenden oder irgendwo mitmachen. Ich hatte nicht so genau hingeschaut, was ein Fehler war. Ich hätte ihm das Flugblatt aus den Händen reißen müssen. Ich hätte es wegwerfen sollen oder aufessen, so wie es die Geheimagenten mit gefährlichen Papieren machen.

Erst als wir bei Mikael Aariak gewesen waren, einem alten Kumpel meines Vaters, in dessen Zweizimmerhäuschen wir übernachteten, hatte er den Zettel gelesen.

»Hey«, hatte er gesagt, »hey! Das ist vom Verein *Bienen auf Grönland*. Die wollen hier Bienen züchten! Gerade vorhin hab ich noch davon gesprochen und jetzt dieses Schreiben! Das ist kein Zufall!« Und dann hatte er mir und Mikael erzählt, was für eine großartige Sache die Imkerei sei und dass man reich und berühmt werden würde, wenn man es schaffte, auf Grönland Honig zu gewinnen. Mikael hatte sich auf die Schenkel geschlagen und ihm erklärt, dass Nanortalik Bärenort bedeutet, weil hier die Eisbären auf dem Treibeis vom Polarmeer vorbeischipperten. »Bären!«, hatte er gedröhnt, »nicht Bienen, kapierst du?« Doch mein Vater hatte bierernst auf ihn herabgeschaut und gewartet, bis Mikael mit dem Lachen aufgehört hatte. »Wir werden das professionell aufziehen«, hatte er salbungsvoll verkündet. Das war einer seiner Lieblingssprüche.

Als wir wieder in Nuuk waren, fing er gleich an, alle möglichen Bücher über Imkerei zu bestellen und das Internet zu durchforsten. Tagelang saß er zu Hause am Computer und las sich fest. »Auf Island haben sie es auch geschafft«, ließ er mich wissen. »Apis mellifera mellifera, die schwarze Biene, dreizehn Kilo Honig hat ein einziger Bienenstock im Sommer 2003 gebracht, und der war nicht mal besonders warm.«

Wenn mein Vater einen seiner Träume träumte, dann mussten alle mit träumen. Das heißt, ICH musste es. Bis er dann auch diesen Traum im Alkohol ertränkte. So wie die Idee, ein Reisebüro für deutsche Trekkingtouristen aufzumachen oder in unserem schäbigen Haus ein Bed & Breakfast einzurichten. Ein paar Wochen war er Feuer und Flamme und dann blieb nur noch ein Häufchen Asche übrig. Aber dieses Mal hatte er eine erstaunliche Hartnäckigkeit an den Tag gelegt. Und das lag daran, dass bei diesem Stück ICH die Hauptrolle spielen sollte. Meine Zukunft in Grönland sollten die Bienen sein. Ich sollte sie hochpäppeln und ihnen den Honig abluchsen und er wollte dann den Vertrieb übernehmen. Den Herbst über und den ganzen langen Winter nervte er mich mit dem Quatsch. Wir hatten sogar Bienenkästen gezimmert. Sie lagen halb fertig und vom Schnee und Regen verwittert hinter unserem Haus. Der Daumennagel, den er sich dabei zerquetscht hatte, war immer noch schwarz.

Ich hielt das Fluchen und Husten im Zimmer nebenan nicht mehr aus, nahm wieder meine Daunenjacke vom Haken und ging aus dem Haus. Ich stemmte mich gegen den Wind, lief hinunter zum Hafen und schaute dem Sonnenuntergang über dem Fjord zu. Irgendwann würde ich woanders leben und dann würde ich es schaffen, meine eigenen Träume zu träumen. Irgendwo, wo es richtige Straßen gab, die nicht nach wenigen Kilometern im Wasser oder im Eis endeten. Wo man mit der U-Bahn fahren konnte und durch breite Alleen ging, in denen die Menschen vor den Cafés saßen und sich von gut aussehenden Kellnern ihre Drinks bringen ließen. Große Städte, in denen du ewig laufen kannst und niemanden triffst, der deinen Namen kennt. Irgendwann würde ich weit weg von hier leben. Alles war weit weg von hier aus.

Ich sah zu dem Touristenschiff hinüber, das im Hafen lag. Ich sah die Leute an der Reling stehen, dünne schwarze Silhouetten vor gleißendem Gold, und hörte ihre begeisterten Rufe. Es war der Sonnenuntergang. Jeden Abend bejubelten sie ihn.

Ja, irgendwann würde ich diesen wahnsinnigen Himmel nicht mehr sehen, diesen Himmel, der in Gelb, Orange, Rot und Violett leuchtete, von schwarzen Wolkenfetzen durchzogen, ein Himmel, wie kein Maler der Welt ihn malen konnte. Sogar die zusammengeschaufelten Schneeberge am Straßenrand färbte er rosa. Immer wenn ich diese Farben sah, die sich im Weiß des Treibeises spiegelten, begriff ich, warum mein Vater nach Grönland gekommen war, vor zwanzig Jahren, und warum er hierblieb.

»Hey, Pakku!«

Ich drehte mich um und erkannte Aqqaluk. Er hatte die gleiche beige Daunenjacke an wie ich, die gleichen Goretexstiefel und die gleichen halblangen, glatten schwarzen Haare. Er sah aus wie ich, und das war eins von den Dingen, die mich so deprimierten. Es gab so viele hier wie mich und so wenige, die ganz anders aussahen. Wir kauften unsere Jeans, unsere Jacken und selbst unsere Unterhosen in denselben Läden, gingen zum selben Friseur, hatten dieselben gelangweilten Gesichter.

»Hey, Pakku, wieso warst du nicht im Daisy? Kommst du noch mit rüber zu Ingvar?«

Ich schüttelte den Kopf. Ich hatte keine Lust auf einen Nachmittag bei Ingvar. Auch das war immer das Gleiche. Wir würden ziemlich viel Bier trinken, Pornos im Internet anschauen und noch mehr Bier trinken. Vielleicht auch Wodka, falls Ingvars Vater seinen Schrank nicht abgeschlossen hatte. Ingvars Vater, Gunnar Kleist, gehörten ein paar Privatflugzeuge und ein Hubschrauber, und er und Ingvar bildeten sich eine Menge darauf ein.

»Sorry, Aqqa, keine Zeit.« Ich stand auf, warf einen letzten Blick zu den Touristen hinüber, winkte Aqqaluk zu und rannte nach Hause.

In Deutschland war es Abend. Vielleicht wartete Spider ja noch auf mich.

MS Alaska, Nordatlantik, Sommer 2020

Jonathan ließ sich gerade einen zweiten Milchkaffee bringen, als er die schwarzhaarige Fremde am Buffet entdeckte. Auch sie hatte ihn gesehen und nickte ihm zu. Ein Tablett mit Brötchen, Obst, Müsli, Rührei und Schinken in den Händen balancierend kam sie auf ihn zu. Den Trainingsanzug hatte sie gegen eine enge schwarze Hose und einen dünnen Pullover getauscht. Sie war sexy, keine Frage, auch wenn sie nicht sein Typ war. Die Frauen, die ihm spontan gefielen, sahen anders aus: blond, zierlich, mit schmalen Gesichtern und hellen Augen, so als ob er in ihnen das Gegenteil seiner selbst suchte. Einen Menschen, der das Sonnenlicht reflektierte, statt es zu absorbieren.

Sie stellte ihr Tablett auf seinen Tisch, zog sich einen Stuhl heran und setzte sich schon, während sie noch »Darf ich?« fragte.

Jonathan schob die Vase mit den künstlichen Blumen zur Seite, damit sie das, was sie auf ihrem Tablett hatte, auf dem Tisch ausbreiten konnte. »Wie viele Leute erwartest du noch?«, fragte er und ließ den Blick über all das Essen wandern, das sie um ihren Frühstücksteller herum verteilte.

»Seeluft macht hungrig, genau wie Joggen«, sagte sie, während sie mit dem Müsli begann. »Läufst du auch?«

Jonathan schüttelte den Kopf. »Ich bin mehr der Fußballtyp.«

Sie musterte ihn ohne Hemmung. »Wie heißt du eigentlich?«

»Jonathan.«

»Ich heiße Shary.«

»So wie der Hurrikan, der Kuba zerstört hat?«

»Genau.« Sie lachte. »Sei lieber vorsichtig. Ich kann ganz schön stürmisch werden.«

Jonathan erwiderte ihr Lachen. »Ich kann auf mich aufpassen«, sagte er. »Aber Namen haben keine Bedeutung.« Er nahm sich von den Blaubeeren, die in einem Schälchen vor ihm standen. Doch anstatt die Beere in den Mund zu stecken, zerdrückte er sie zwischen Daumen und Zeigefinger. »Als Kind hab ich Bickbeeren dazu gesagt, aber offiziell heißen sie Heidelbeeren. Auf Dänisch werden sie, glaube ich, bølle genannt. Dieser Beere ist das ziemlich egal, schätze ich. Ich weiß, dass Menschen ihre Kinder nicht zufällig Felix oder Victoria oder auch Adolf nennen. Aber ich bin mir sicher, dass Namen nur ein Etikett sind. Im Gegensatz zu der hier können sie nicht abfärben.« Er nahm seine Serviette und wischte sich den rötlichen Saft von den Fingern.

Sie ließ eine halbe Minute verstreichen, bis sie weitersprach. Die Frage, die sie ihm dann stellte, überraschte ihn. »Wo warst du, als New York unterging?«

Jonathan brauchte nicht lange zu überlegen. Die Tage, in denen die Katastrophenmeldungen aus den USA durch die Medien gegangen waren, würden ihm auf immer im Gedächtnis bleiben. Es waren aufwühlende Bilder gewesen, auch wenn der Hurrikan Laura verhältnismäßig wenige Todesopfer gefordert hatte – anders als die kurz zuvor in den Tropen wütenden Taifune, die etliche Millionenstädte in Südostasien vernichtet hatten. Die Evakuierung Manhattans war unglaublich geordnet vonstattengegangen, obwohl die Subway unter Wasser stand und als Transportmittel der Millionen Menschen ausgefallen war. Aber die Stadt war durch die Katastrophen in Asien alarmiert gewesen und hatte vorsorglich eine eigene Busflotte für den Notfall angelegt, wofür man allerdings den Central Park geopfert hatte. Die New Yorker hatten die Situation mit einer unvergleichlichen Gelassenheit akzeptiert. Als dann, am 26. September 2019, der Wirbelsturm mit unerwarteter Wucht auf Manhattan traf und die Insel innerhalb von Stunden in den Fluten versank, sodass nur noch die Wolkenkratzer aus dem Wasser ragten, hatte die Welt den Atem angehalten. Dabei hatte sie sich doch in den vergangenen Jahren an Untergangsszenarien gewöhnt. Das Wasser hatte verheerende Verwüstungen hinterlassen und ein großer Teil der Ostküste war nicht mehr bewohnbar.

In den Monaten danach hatte Jonathan eine Skulptur geschaffen, eine Art Friedhof mit Grabsteinen, auf denen Sendemasten und Antennen wie Spinnenbeine in den Himmel ragten. Es war seine erste wirklich gute Arbeit gewesen, viel besser als die Skulptur, mit der er im Jahr davor einen internationalen Wettbewerb gewonnen hatte. Aber durch die Auszeichnung damals hatte er zum ersten Mal Geld mit seiner Bildhauerei verdient, satte fünftausend Euro. Das Geld war erst ein paar Tage auf seinem Konto gewesen, da hatte er sich das Ticket für die Fahrt auf der Alaska gekauft – die Fahrt, die eigentlich nach New York gehen sollte.

Jonathan versuchte, sich wieder auf Shary zu konzentrieren, die mit verschränkten Armen dasaß und auf seine Antwort wartete. »Ich war in Berlin«, sagte er. »Um an einem Workshop teilzunehmen, für Bildhauer. Wir haben allerdings nicht mehr gearbeitet, sondern uns die Übertragungen aus den USA angeschaut. Es waren wahnsinnige Szenen … Und du? Wo warst du?«

»Ich war in Kopenhagen bei meiner Schwester. Ich habe ihr geholfen, ihre neue Wohnung zu renovieren. Ein Nachbar rief durchs Treppenhaus, dass New York gerade in den Fluten versinkt, und wir haben alle zusammengesessen, um die Bilder anzusehen …« Sie schüttelte den Kopf, als könnte sie immer noch nicht glauben, was sie gesehen hatte, dann lächelte sie. »Meine Schwester hat dadurch ihren Freund kennengelernt, er wohnt im selben Haus. Sie ist immer noch total verknallt.«

»Ja«, sagte Jonathan. »Jedem Ende wohnt ein Anfang inne.«

»Hesse. Haben wir auch in der Schule gelesen.« Shary hob ihr Orangensaftglas und prostete ihm zu. »Auf das Ende dieser Reise.« Sie grinste ihn an, streckte den Rücken und machte eine förmliche Verbeugung. »May I introduce myself – Shary Enoksen.«

»Jonathan Querido. Nice to meet you.« Jonathan stieß mit seiner Milchkaffeeschale gegen ihr Glas.

»Querido? Ist das nicht spanisch?«

»Das ist ein philippinischer Name. Der Geliebte. Aber wie wir gerade festgestellt haben, sagt ein Name nicht viel aus.«

»Stammst du von den Philippinen? Ich dachte, dass du Grönländer bist.«

Jonathan trank seinen Kaffee aus, der ihm plötzlich nicht mehr schmeckte. »Ach, vergiss es«, sagte er. »Vielleicht sollten wir das mit den Namensschildchen lassen. Manchmal verwirren sie nur.«

Jetzt sah sie ihn mit aufreizender Offenheit an. »Ich weiß nicht … Es könnte ganz reizvoll sein, ein bisschen Verwirrung zu stiften, Jonathan Querido.«

Jonathan wich ihrem Blick aus und stand abrupt auf. »Kann sein«, sagte er. »Aber ich glaube, ich muss jetzt los. Ich will noch ein paar Telefonate führen. Sorry.« Er hatte noch nicht zu Ende gesprochen, da tat es ihm schon leid, wie brüsk er zu ihr war. Aber so war das nun mal. Um nichts in der Welt war er jetzt in der Stimmung, sich auf eine Frau einzulassen. Und schon gar nicht auf eine wie sie. Auf eine wie Maalia.

Sie sah ihn aus ihren mandelförmigen schwarzen Augen an und wieder senkte Jonathan den Blick, weil er die Nähe nicht aushielt, die sie zu ihm suchte. Verdammt noch mal, sie sollte ihn in Ruhe lassen. In ein paar Stunden, wenn sie in Nuuk Station machten, würde er sowieso von Bord gehen. Und wer weiß, ob er überhaupt dabei sein würde, wenn das Schiff nach Hamburg zurückfuhr. Nein, Shary Enoksen musste sich für ihre Flirtversuche jemand anderen suchen.

Nuuk, Grönland, Frühjahr 2011

warum hast du aufgegeben? deine chancen waren gut
zu viel krach im haus
kleine geschwister, oder?
quatsch nicht. würfel endlich
immer noch schlechte laune?

Statt einer Antwort ließ ich die Würfel klackern. Es war ein gutes Geräusch, irgendwie unbeschwert und fast so, wie ich es von früher in Erinnerung hatte, als ich mit meiner Großmutter gespielt hatte. Ein altmodisches Geräusch, ein altmodisches Spiel, total uncool.

Wir spielten ein Spiel nach dem anderen. Doch ich war einfach nicht bei der Sache. Im Zimmer meines Vaters war es still geworden, sein Brüllen war verebbt, und als ich auf den Flur ging, sah ich, dass seine Jacke nicht am Haken hing. Er war rausgegangen. Zum Trinken. Das wusste ich, weil er nicht kurz zu mir reingeschaut hatte, um Tschüss zu sagen. Sein schlechtes Gewissen hing noch in der Luft, nistete in unserem ungelüfteten, engen Flur, sodass ich unwillkürlich die Nase verzog. Ich überlegte, ob ich ihm nachgehen sollte, ihn stoppen, aber es hatte eh keinen Sinn. Niemand konnte ihn stoppen, ihn nicht und all die anderen nicht, die sich genau wie er den Verstand aus dem Schädel soffen, egal wie teuer der Sprit auch war. Ich starrte die leeren Bierflaschen an, die neben dem PC auf meinem Schreibtisch standen, und fegte sie vom Tisch. Sie kollerten auf den Holzboden, auf dem nur ein dünner Baumwollteppich lag. Es klang wie das Rollen der Würfel auf dem Bildschirm. Ich wollte nicht trinken. Ich wollte nicht so werden wie mein Vater, so ein Verlierer. Ich wollte mein eigenes Leben leben.

Ich hatte mein FS-10-E Examen in der Tasche, eins, das ich nicht gerade gerne herausholte. Die einzigen Fächer, in denen ich geglänzt hatte, waren die, in denen man nicht reden musste. Klar, ich hatte ja erst mit neun Jahren Grönländisch und Dänisch gelernt. Das ganze erste Schuljahr in Nuuk hatte ich kein einziges Wort gesagt. Stumm hatte ich neben Aqqaluk gesessen, der mir alle fünf Minuten freundlich zulächelte und der mich abschreiben ließ und mir manchmal sogar die Hausaufgaben machte, obwohl ich ihn kein einziges Mal darum gebeten hatte. Aber wäre ich in Deutschland besser mit der Schule zurechtgekommen? Wahrscheinlich nicht, denke ich mal. Schließlich war mein Vater auch nicht gerade der Typ, der stolz auf seinen Verstand sein konnte. Und meine Mutter … keine Ahnung, wie gut die in der Schule gewesen war. Woher sollte ich das wissen?

Egal. Das beste Examen nützt dir nichts, wenn du keinen Schimmer hast, was du mit deinem Leben machen sollst. Es gab nur eins, was definitiv klar war: Grönlands erster Honigproduzent würde ich bestimmt nicht werden. Ich aß das klebrige Zeug ja nicht mal gerne.

schon wieder ein pasch. glückspilz
kann man mit backgammon geld verdienen?
brauchst du geld?
wer nicht?
bekommst du nicht genug taschengeld?
geht dich nichts an

Ich würfelte und stand auf, um mir aus der Küche noch ein Bier zu holen. Ich hatte zwar ein schlechtes Examen gemacht, aber ich war nicht blöd. Schon seit Tagen versuchte der gute Spider, was aus mir rauszukitzeln. Immer wieder mal streute er Fragen nach meinem Zuhause ein, wollte wissen, wer ich war, wie alt, ob männlich oder weiblich, wo ich wohnte und all das. Bisher hatte ich alles abgeblockt und war auf keine seiner Bemerkungen eingestiegen.

Ich war mir ziemlich sicher, dass Spider ein ganzes Stück älter war als ich. Wie gesagt, ich kannte niemanden in meinem Alter, der Backgammon spielte. Ich kannte überhaupt niemanden, der das spielte. Auch mein Vater ballerte nur *Alien Attack* am PC oder haute sein Geld beim Pokern raus mit den Typen, die er seine Freunde nannte.

In Deutschland war es jetzt drei Uhr morgens. Wahrscheinlich war Spider ein einsamer alter Knacker, der keine Arbeit hatte, wegen der er am nächsten Morgen aufstehen musste. Vielleicht so ein verklemmter Freak, der auf Jungs stand, die ihm nicht wirklich gefährlich werden konnten.

Ich hörte, wie die Haustür aufging, und drückte auf Log-out. Ich hatte die letzten drei Spiele gewonnen, ein guter Zeitpunkt, um aufzuhören. Außerdem hatte ich keine Lust, von meinem Vater beim Backgammon erwischt zu werden. Es war mir unangenehm. So als würde er mich beim Wichsen stören.

Als er in der Tür stand, fuhr ich gerade den PC runter. Er grinste mich an, die Wangen von der Kälte und dem Wodka gerötet.

»Hey, Pakku. Noch auf?«

»Ja, aber nicht mehr lange. Ich gehe ins Bett.«

»Warst du bei Aqqaluk?«

»Nur kurz.«

Einen Moment lang schien er zu überlegen, ob es noch etwas gab, was er fragen sollte. Er hielt sich mit der rechten Hand am Türpfosten fest, fuhr sich mit der linken durch die blonden Haare und starrte mich aus seinen babyblauen Augen an. Dann schüttelte er den Kopf, als müsse er Wasser aus den Ohren kriegen.

»Hör mal, Pakku. Weißt du, was Peer erzählt hat?«, sagte er. Seine Stimme hatte diesen eindringlichen Tonfall angenommen, der auf einen ziemlich hohen Spritpegel deutete. »Peer hat gesagt, dass es in zehn Jahren im Sommer kein Eis mehr geben wird.«

»Wieso? Macht Frisco pleite?«

Frisco ist das dänische Langnese. Als Kind hatte ich mich komischerweise darüber aufgeregt, dass die hier einfach einen anderen Namen für das gleiche Eis benutzten. Ich wollte, dass alles so war wie zu Hause. So wie in Deutschland.

Mein Vater überhörte mein Witzchen und redete weiter. »Das ist der Klimawandel, Pakku. Jedes Jahr wird es wärmer, immer mehr Eis schmilzt und immer schneller, als man gedacht hat. Das hast du wohl auch schon gehört.«

»Und?«

»In Südgrönland ist es jetzt schon wie in den Alpen. Kapierst du?«

»Nee.«

»Mann, Pakku! Die Bienen … hier wird es immer wärmer. Immer grüner. Grünland, kapierst du? Wenn wir die Ersten sind, die Honig machen können, haben wir die Nase vorn. Ich sag's dir, das wird ein Superhonig. So wie der von deiner Großmutter.«

Ich rollte mit den Augen. Doch mein Vater ließ sich nicht im Geringsten irritieren. Er bedachte mich mit einem Lächeln, das er für geheimnisvoll hielt. »Frische Brötchen mit Honig. Oder selbst gemachtem Apfelgelee … Weißt du noch, Pakku?«

Natürlich wusste ich. Meine Kindheitserinnerungen waren nicht viel anders als seine. Ich hatte in seinem Kinderzimmer geschlafen, in seiner löcherigen Micky-Maus-Bettwäsche, ich hatte mit seiner Carrerabahn gespielt und war in seiner alten Lederhose auf den Apfelbaum geklettert. Ich war auf seine Grundschule gegangen, hatte im selben Klassenzimmer gesessen und hatte sogar seine ehemalige Klassenlehrerin gehabt, Frau Mirow, die kurz vor der Pensionierung stand. Seine Mutter war auch meine Mutter gewesen, ich kannte keine andere. Manchmal kam ich mir vor, als wäre ich sein Klon. Ein Klon, der durch einen verrückten Tick der Natur wie das komplette Gegenteil aussah. Mein Vater blond und blauäugig, der reinste Wikinger, und ich mit pechschwarzen Haaren und Augen wie Murmeln aus Lavastein. Vielleicht war das der Grund, warum ich oft das Gefühl hatte, im falschen Körper zu stecken.

Ein einziges Mal hatte mein Vater eine Bemerkung über mein Aussehen gemacht. Es war an dem Tag gewesen, als ich ihn kennenlernte, ein paar Wochen nach dem Tod meiner Großmutter. Ich war neun Jahre alt und ich war in ein fremdes Land gekommen, von dem ich nicht viel mehr wusste, als dass es dort Eisbären und Robben und Schlittenhunde gab. Und einen Mann, der mein Vater war. Ein fremder Mann, von dem ich bisher nur ein paar Fotos gesehen hatte.

Was mich damals am meisten beschäftigte, war die Frage, wie ich diesen Mann nennen sollte. Meine Großmutter hatte immer nur den Ausdruck *dein Vater* benutzt, wenn sie von ihm gesprochen hatte. Aber als ich im Flughafengebäude auf den großen, blonden Mann zuging, wusste ich, dass ich es nicht fertigbringen würde, Papa zu ihm zu sagen. Am liebsten hätte ich ihn mit dem Vornamen angeredet. Aber so sehr ich mich auch anstrengte, mir fiel nicht ein, wie er hieß. Konnte es denn sein, dass ich den Vornamen meines Vaters nicht kannte? Hatte meine Großmutter ihn nie erwähnt? Oder hatte ich nie richtig zugehört, wenn sie von ihm gesprochen hatte? Hatte ich den Namen einfach vergessen, weil ich ja nicht ahnen konnte, dass er einmal wichtig für mich werden würde?

Die Stewardess von Air Greenland, die mich hinter der Passkontrolle an meinen Vater übergab, hatte ihn erstaunt angesehen. »Sie sind der Vater von Pakkutaq?«, hatte sie gefragt.

»Ja, natürlich bin ich der Vater von dem Jungen. Würde ich ihn sonst abholen? Er kommt ganz nach seiner Mutter«, hatte er geantwortet. Ich war mir sicher, dass er enttäuscht von mir war. Von dem fremden Jungen, den er das letzte Mal gesehen hatte, als er ihn als Baby nach Deutschland gebracht und bei seiner eigenen Mutter abgeliefert hatte. Er sah mich an, als ob ich ein Kuckuck wäre. Was hatte er geglaubt? Dass neun Jahre in Niedersachsen einen Blondschopf aus mir gemacht hatten?

Mein Vater klopfte mit den Fingerknöcheln gegen den Türpfosten. »Honig. Das ist es!«, sagte er, wobei er jede Silbe einzeln betonte. »Kapierst du, Pakku?«

»Klar, kapier ich. Wir reden morgen drüber, okay?« Ich ging zu ihm und schob ihn zur Tür hinaus. »Schlaf dich aus«, sagte ich und drückte hinter ihm die Tür ins Schloss.

Als ich im Bett lag, war mir von dem Bier übel und ich hatte einen faden, säuerlichen Geschmack im Mund. Mann, warum hatte ich nicht einfach nur Wasser getrunken? Trotz des Biers nagte ein hungriges kleines Tier in meinem Magen. Ich hatte vergessen, zu Abend zu essen. Jetzt fiel es mir ein, doch ich hatte keine Lust mehr aufzustehen. Der Wind rüttelte an den Fensterläden, das Haus war kalt und ich war müde und deprimiert. Aber grinsen musste ich trotzdem. Die große Eisschmelze, der Klimawandel, *sila assallattoq* … Alle diskutierten sich die Köpfe heiß, was das für Grönlands Zukunft bedeutete, und manche sahen ziemlich schwarz. Nur für meinen Vater war alles schon ganz klar: Wärme, Blümchen, Bienen, Honig, Reichtum.

Was die optimistische Haltung anging, zog mein Vater an einem Strang mit Aqqaluks ältestem Bruder Angaju. Vor ein paar Tagen hatte er mir erzählt, dass es bei den Kalaallit eine uralte Prophezeiung gibt. »Wenn das große Eis schmilzt, die Erde in Bedrängnis ist und auf Grönland wieder Bäume zu wachsen beginnen, wird das Heilige Feuer auf die Insel zurückkehren und mit ihm wird eine neue Weisheit in die Welt ziehen.« Angaju wollte unbedingt dabei sein, wenn sie im Sommer in Kangerlussuaq ein Heiliges Feuer abbrannten, aus Robbenfett und dem Holz der Bäume, die es im Süden Grönlands gab. Die Stammesältesten würden dann in die Schwitzhütte gehen, um diese neue Weisheit zu empfangen. »Die Welt ist aus dem Gleichgewicht geraten«, hatte Anga gesagt. »Aber sie wird es wiederfinden, wenn das Eis in den Herzen der Menschen zu schmelzen beginnt.«

Ich mochte es, wenn Anga vom Glauben und der Weisheit der Inuit erzählte, von Sedna, der Mutter des Meeres zum Beispiel, die in der Tiefe wohnt und die Menschen bestraft, die ihr zu viele Tiere wegnehmen, auch wenn mir vieles seltsam düster vorkam, so wie die Geschichten aus der Bibel, die mir meine Großmutter abends am Bett erzählt hatte. Aber immerhin schien ihn dieser Glaube davon abzuhalten, sich wie seine jüngeren Brüder mit Bier vollzudröhnen. Und obwohl ich mir nicht vorstellen konnte, wie die alten Frauen und Männer ausgerechnet beim Schwitzen das Problem der Erderwärmung in den Griff bekommen wollten, fand ich Anga und seine Erzählungen weniger verrückt als meinen Vater mit seinen Schnapsideen.

Es war merkwürdig: Wenn Anga von der Zukunft redete, dann war das etwas, das es schon zu geben schien, so wie die Gegenwart und die Vergangenheit. Manchmal hörte es sich an, als sei sie schon passiert, und man konnte eh nichts mehr dran ändern. Er zerbrach sich nicht den Kopf darüber, was er mit sich und seinem Leben anfangen sollte. Wenn er was plante, dann kam es mir vor, als wäre es genau das, was jetzt eben dran war. Auch Aqqaluk nahm es ganz cool hin, dass er mit der Schule fertig war und sich sein Leben zwangsläufig änderte. Er machte sich keine großen Gedanken über die Richtung, in die es jetzt gehen würde.

Nur für mich war die Zukunft, *meine* Zukunft, wie ein Schulaufsatz, den ich seit Wochen vor mir herschob, um den ich mich herumdrückte und der mir ständig ein mieses kleines schlechtes Gewissen machte. Ich wusste, dass ich mich endlich dransetzen musste, aber ich hatte keinen Schimmer, wovon er handeln sollte.

MS Alaska, Südwestküste Grönlands, Sommer 2020

Die grüngraue Küste Grönlands schimmerte über dem Meer in der Sonne, die tiefen Einschnitte der Fjorde schufen ein bizarres Muster. Aus der felsigen Landschaft ragten schneebedeckte Berge in den Himmel; sie erinnerten daran, dass die Südhälfte der Insel früher auch im Sommer eisbedeckt gewesen war. Doch mittlerweile zog sich ab Juli das Eis weit von den Küsten zurück. Der eisige Panzer, der jahrtausendelang viel zu dick gewesen war, um zu schmelzen, hielt den ständig steigenden Temperaturen nicht mehr stand.

Die Wissenschaftler – selbst die, die stets als Ökopessimisten belächelt worden waren – hatten das Tempo, in dem die Eisschmelze vonstattengehen würde, unterschätzt. Weltweit waren die Temperaturen schneller und höher gestiegen als angenommen, das ewige Eis war dramatischer geschmolzen, subtropische Meeresströmungen hatten es in ungeahntem Ausmaß auch von unten schmelzen lassen. Weil die eisfreien, dunklen Landmassen mehr Wärme absorbierten als zuvor die weiße Eisdecke, erwärmte sich die Luft nochmals spürbarer.

Selbst im hohen Norden der Insel gab es nur noch wenige Inuit, die der traditionellen Lebensweise der Jäger und Fischer nachgingen. Einige Orte waren aufgegeben worden, aber andere wie Nuuk, Ilulissat und Sisimiut waren gewachsen, was nicht zuletzt daran lag, dass das wärmere Klima immer mehr Touristen ins Land brachte. Nach und nach gab das abschmelzende Eis riesige Vorkommen an Öl und Erdgas, Gold, Silber und Uran frei und der damit verbundene wirtschaftliche Boom brachte den Grönländern einen zunehmenden Wohlstand. Einen Wohlstand allerdings, der genau dosiert war. Das Land, das seine Unabhängigkeit von Dänemark erlangt hatte, wurde mittlerweile ausgebeutet wie nie zuvor. Die internationalen Energiekonzerne hatten das Ruder übernommen.

Jonathan stand an der Reling und schaute zur Insel hinüber. Es konnte nicht mehr lange dauern, bis Nuuk zu sehen sein würde. Er musste allmählich mal in seine Kabine gehen, um seine Sachen zu packen. Und natürlich musste er auch irgendjemandem Bescheid sagen, dass er von Bord gehen und wahrscheinlich erst zur Rückfahrt wieder dabei sein würde. Schließlich wollte er nicht durch sein Verschwinden Unruhe stiften und womöglich eine Suchaktion auslösen. Mann über Bord … Plötzlich spürte Jonathan, wie die bedrückende Angst in ihm aufstieg, die ihn sonst nur nachts in der Enge der Kabine packte. Musste man so eine Kreuzfahrt nicht durchziehen, wenn man sie gebucht hatte? Vielleicht war es ja gar nicht erlaubt, einfach so das Schiff zu verlassen und Grönland auf eigene Faust zu besuchen.

Ein kalter Wind pfiff aus Norden und Jonathan zog den Reißverschluss seiner Jacke zu. Er war sich plötzlich nicht mehr sicher, ob er wirklich in Nuuk bleiben sollte. Reichte es nicht aus, Grönland auf Stippvisiten von der Alaska aus kennenzulernen? Sie würden die ganze Küste hochfahren und die Insel umrunden, bevor sie von Nuuk aus wieder nach Deutschland zurückfuhren. Er könnte einfach an Deck abhängen, seine Erinnerungen in Bier ertränken und das Leben genießen. Vielleicht sogar mit dieser Shary.

Wie aufs Stichwort stand auf einmal Shary Enoksen neben ihm. »Hast du gewusst, dass Grönland jedes Jahr ein paar Zentimeter größer wird?«, fragte sie ihn unvermittelt. »Die Insel steigt langsam, aber sicher aus dem Meer auf, weil die Eismassen nicht mehr so ein Gewicht haben.«

Jonathan nickte. »Ja«, antwortete er wortkarg und sah sie von der Seite an. Sie war hübsch mit ihrer bronzefarbenen Haut und den langen schwarzen Haaren. Und sie war weder dumm noch unsympathisch. Also warum nicht? Warum nicht eine nette kleine Affäre hier an Bord und dann wieder zurück nach Hamburg in den Alltag? Niemand zwang ihn, in Nuuk auszusteigen. Es war doch verrückt, eine geänderte Reiseroute als einen Fingerzeig des Schicksals zu interpretieren. Warum hatte er diese Reise überhaupt angetreten, anstatt sich das Geld von der Reederei auszahlen zu lassen, als feststand, dass die Alaska nach Grönland fahren würde und nicht in die USA?

Er hatte immer schon nach New York gewollt, nach Manhattan. Und dann, im letzten Herbst, war ihm ein Prospekt der Alaska in die Hände gefallen. Das Bild des weißen Schiffes hatte ihn getroffen wie ein Stromschlag und er hatte den Prospekt in den Papierkorb geworfen. Doch am nächsten Tag hatte er ihn wieder hervorgeholt, weil sie ihm nicht aus dem Kopf ging, die Alaska. Er hatte gesehen, dass ihre Fahrt nach New York ging. 5000 Euro sollte die Reise kosten, gerade so viel, wie er durch den Wettbewerb verdient hatte.

Wie kindisch war es zu glauben, dass das alles kein Zufall war: der Prospekt mit dem Bild der Alaska, die fünftausend Euro, die Änderung der Reiseroute. Vielleicht sollte er nach Grönland fahren, hatte er gedacht. Vielleicht musste das so sein. Vielleicht sollte er nach Grönland zurückkehren, auf der Alaska, auch wenn das sein Leben zerstören würde. Vielleicht war es endlich Zeit für Jonathan Querido zu sterben.

»Was ist mit dir?« Shary stieß ihn mit dem Ellenbogen an. »Du machst ein Gesicht, als ob du in die Strafkolonie fährst und nicht in den Urlaub.«

Jonathan löste den Blick nicht von der grünen Küste, die kaum näher zu kommen schien. Er quälte sich ein Lächeln ab. »Strafkolonie? Wer weiß … Ehrlich gesagt, hab ich keine Ahnung, wo ich hinfahre«, sagte er.

»Bist du das erste Mal in Grönland?«

»Ja«, antwortete Jonathan und immer noch fiel es ihm schwer zu lügen.

Nuuk, Grönland, Frühjahr 2011

Das Klingeln meines Handyweckers riss mich aus einem wirren Sextraum und ich versuchte, ihn einzufangen. Doch das Schnarchen meines Vaters, das bei den dünnen Wänden unseres Hauses nicht zu überhören war, verscheuchte ihn endgültig. Es war Montag, sein freier Tag, das hieß, er musste nicht in den Supermarkt, wo er von Dienstag bis Sonnabend an der Kasse hockte. Ich warf meine Bettdecke zur Seite, widerstand der Versuchung, den PC einzuschalten, setzte Kaffee auf und briet mir in der Küche ein paar Nudeln vom Vortag in der Pfanne. Ich hatte mir vorgenommen, ausnahmsweise mal pünktlich zur Arbeit zu erscheinen. Sven hatte mich gewarnt. Wenn ich mich nicht zusammenriss, wäre ich den Job schneller los, als ich ihn ergattert hatte.

Krabbenpulen. Das war ein Scheißjob, viel mieser ging's eigentlich gar nicht. Aber ich konnte mich glücklich schätzen, überhaupt mein eigenes Geld zu verdienen. Es gab nicht viel zu tun in Nuuk.

»Handarbeit«, hatte Sven gesagt, dämlich gegrinst und seine schmierige Rechte geschüttelt. »Da seid ihr Jungs doch in Übung, oder?« Dann hatte er Aqqaluk und mich in seine Halle am Hafen geschoben und uns unserem Schicksal überlassen. Wie wir die ekeligen Krabben aus ihren Schalen herausbekamen, mussten wir bei den anderen abgucken. Aber da wir alle gemeinsam per Kilo bezahlt wurden, sahen sie zu, dass wir es schnell und gründlich lernten. »Er wird ungemütlich, wenn er noch Schalen findet. Dann schmeißt er uns das Zeug vor die Füße«, hatten die anderen uns eingetrichtert.

Sven hatte in seinem Schuppen eine vorsintflutliche Krabbenpulanlage eingerichtet. Eigentlich war es nichts anderes als ein sich langsam drehendes Fließband, das immer im Kreis lief. Mit rund acht bis zehn Leuten saßen wir um das Band herum und fummelten die winzigen Krabben aus ihrer Schale.

Wenn mal jemand von Royal Greenland vorbeikommen sollte, die den Grönländer Garnelenhandel managten, würde der sich erst totlachen und dann das Gesundheitsamt benachrichtigen. Sven verkaufte die frisch gepulten Dinger unter der Hand an die Hotels und Restaurants an der Westküste. Und irgendwie hatte er den Dreh rausgefunden, sie auch auf den Touristenschiffen loszuwerden. Für gepulte Krabben gab's fast dreimal so viel wie für die größeren Garnelen. Wir bekamen nur ein paar Kronen pro Stunde und am Ende des Tages tat einem jeder Muskel weh von der Buckelei. Das einzig Tröstliche war, dass sich auch Sven nicht gerade eine goldene Nase verdiente.

Der Himmel über Nuuk war von einem unglaublichen Blau und der Schnee auf dem Sermitsiaq glitzerte in der Frühlingssonne, aber das vergaß man genau in dem Moment, in dem man die Tür zu Svens Schuppen aufschob. Wegen der Kühlkisten für die Krabben war es eiskalt in dem Raum. Es gab keine Fenster und das Neonlicht flackerte ungesund vor sich hin. Mindestens die Hälfte der Röhren war kaputt und die Männer und Frauen, die sich mit krummen Rücken über das Band beugten, saßen im Trüben. Aber eigentlich brauchst du überhaupt kein Licht für den Job, denn wenn du hundertmal die gleiche Handbewegung gemacht hast, kannst du sie auch im Dunkeln.

Das Einzige, was mich jedes Mal wie am ersten Tag umhaute, war der grässliche Gestank nach Fisch und Schweiß und Alkohol. Natürlich hatte Sven seinen Leuten verboten, bei der Arbeit zu trinken. Aber da er erst wieder am Nachmittag auftauchte, um seine Beute abzuholen, konnte man sich ungestört die Kante geben. Und das taten fast alle, auch die Mädchen. Nur Maalia nicht.

Ich schaute in die Runde. Noch ehe ich erkennen konnte, wer heute alles da war, winkte mir Aqqaluk auch schon zu. Er rutschte mit seinem Hocker ein Stückchen zur Seite, sodass ich mich zwischen ihn und Angaju quetschen konnte. Anga arbeitete schon seit fast einem Jahr in Svens Schuppen und durch seine Vermittlung waren wir an den Job gekommen.

»Hey, Pakku«, begrüßte mich Aqqaluk mit einem Grinsen, das sein rundes Gesicht noch breiter werden ließ. »Du hast gestern Abend was verpasst. Ingvar hat hammerharte DVDs dagehabt.« Verstohlen schaute er zu seinem großen Bruder hinüber, weil der wütend wurde, wenn Aqqaluk sich Pornos reinzog. Doch Anga hatte Kopfhörer in beiden Ohren und achtete nicht auf Aqqaluks Gequatsche. Die Augen halb geschlossen, sang er leise vor sich hin, immer die gleichen Silben, ajjejje ajjejje. Aqqaluk zwinkerte mir zu und machte eine Bewegung mit den Händen, wie ein Hase, der mit den Vorderpfoten in der Luft zappelt. Klar, Anga war im Trommelfieber, highspeed ins Land seiner Vorfahren. Der bekam nichts mit. Er spielte mit ein paar Freunden in einer Band, die grönländische Trommeltänze mit Rap zusammenmixte. Eine wahnsinnige Sache. Sie waren sogar schon im Katuaq Kulturzentrum aufgetreten und Anga hatte erzählt, dass sie vielleicht nach Kopenhagen eingeladen wurden, um dort in einem ziemlich guten Club auf der Bühne zu stehen.

Ich zuckte mit den Schultern und griff in die Krabben. Ich hasste die Viecher mit ihren gekrümmten Beinen und ihren spindeldünnen Fühlern. Wenn sie nackt waren, sahen sie obszön und schamlos aus. Während ich mechanisch an ihren Köpfen drehte, die Schale zum Knacken brachte und ihnen das Genick brach, spürte ich, dass nicht nur Aqqaluk mich anschaute. Auch Maalias Blick war auf mich gerichtet. Sie saß mir schräg gegenüber, neben einem Mädchen, das Signe genannt wurde und so wie Maalia in demselben Wohnblock wohnte wie Aqqaluk und seine Familie.

Maalia lächelte mich an und ich lächelte zurück. Aqqaluk boxte mir in die Seite.

»Mann«, sagte er. »Da läuft was.«

»Kann sein«, antwortete ich und ließ meinen Blick durch den Schuppen schweifen, bevor er wieder bei Maalia landete. Klar, sie war eindeutig die Hübscheste, mit ihren langen, weich fallenden Haaren und den schräg stehenden Augen, die selbst im Halbdunkel des Schuppens glänzten, und es gefiel mir, dass sie nichts trank. Was ihre Figur anging, tappte ich im Dunkeln. Wie alle anderen hatte sie eine dicke Jacke an, wodurch sie wie ein unbezwingbarer Felsen wirkte. Manchmal wachte ich nachts davon auf, dass ich träumte, einem Mädchen mit nackten Beinen zu begegnen, in einem kurzen Rock und einem T-Shirt, unter dessen dünnem Stoff man ihre Brust sehen konnte.

Aqqaluk reichte mir seine Bierflasche und ich nahm einen großen Schluck. Ich war ein Scheißheuchler, sonst nichts. Ich hasste es, dass mein Vater so am Alkohol hing, und ich mochte es nicht, wenn die Mädchen sich betranken. Aber ich selbst hielt es keinen Vormittag ohne Bier aus. Schon gar nicht an diesem Fließband, auf dem sich die hässlichen Krabben im Kreis drehten, sodass einem vom Zugucken schwindlig wurde. Ohne Bier stand ich das keine sechs Stunden lang durch.

In den ersten Minuten schnürte einem der Gestank im Schuppen den Atem ab. Doch nach einer Weile gewöhnte man sich daran. Nur an dem angeekelten Gesicht meines Vaters, wenn ich nach Hause kam, merkte ich, wie fischig meine Klamotten, meine Haare und meine Hände rochen. Überall saß der Geruch der toten rosa Maden, in jeder Pore.

Nach wenigen Minuten waren meine Finger taub von der Kälte. Die Krabben wurden in Kisten voller Eis geliefert und sie landeten auch wieder in eisgekühlten Wannen. Ich schaute noch einmal zu Maalia hinüber, aber meine Lust zu flirten hatte plötzlich den Gefrierpunkt erreicht. Mein Blick fiel auf Anga neben mir, der mit seinen Kopfhörern in den Ohren vergessen zu haben schien, wo er sich befand. Sein rundes, glattes Gesicht sah zufrieden aus. Es schien ihn auch nicht zu stören, dass die meisten der Truppe nur halb so schnell waren wie er. Am Anfang hatte es mich wahnsinnig gemacht, in welchem Schneckentempo einige der Typen die Krabben pulten. Schließlich wurden wir alle gemeinsam danach bezahlt, wie viele Kilo Krabbenfleisch wir am Ende des Tages fertig hatten. Keine Ahnung, warum Sven uns nicht einzeln abwiegen ließ. Vielleicht war er zu dämlich, so viele verschiedene Löhne auszurechnen. In meinen Augen wäre das viel gerechter gewesen, aber ich war wohl der Einzige, der so dachte.

»Mach dir bloß keinen Stress«, hatte Aqqaluk gesagt, als ich rumschimpfte, dass das Getrödel einiger Deppen uns den Stundenlohn versaute. »Wir sitzen doch alle in einem Boot. Da bringt es nichts, wenn einer besonders schnell paddelt.«

Ja, so war es. Ich saß mit Aqqaluk und den anderen in einem Boot, einem schwankenden Riesenkajak, das durch die einsamen grönländischen Fjorde trieb, und niemanden schien es zu interessieren, wohin es fuhr. Alle paddelten ganz gemächlich, nur ich kriegte es nicht hin, mich ihrem Rhythmus anzupassen.

MS Alaska, Südwestküste Grönlands, Sommer 2020

Jonathan hatte sein Gepäck in der Nähe der Rezeption der Alaska gestapelt, wo auch andere Schiffstouristen ihre Rucksäcke abgestellt hatten. Eine der Attraktionen der Reise war das Angebot, von Nuuk aus die Westküste auf einer Wanderung zu erkunden und erst zur Rückfahrt wieder an Bord zu gehen. Doch nur wenige der Passagiere hatten Lust, die Annehmlichkeiten der Alaska aufzugeben. Es waren kaum mehr als zwanzig Touristen, die sich auf das anstrengende Abenteuer einlassen wollten, und offenbar gehörte auch Shary Enoksen zu ihnen. Mit dem Rucksack auf dem Rücken und in festen Wanderstiefeln stapfte sie auf die Rezeption zu. Als sie Jonathan entdeckte, strahlte sie ihn voller Freude an. Sie stieß mit dem Fuß gegen seinen Rucksack.

»Wie schön, dass du auch mitkommst.«

Jonathan seufzte. Schon wieder musste er sie enttäuschen. Es erstaunte ihn, dass es ihm nicht leichtfiel, Shary einfach die Wahrheit zu sagen. Er kannte sie erst seit ein paar Stunden und er hatte eigentlich doch deutlich gemacht, dass er an einer Vertiefung ihrer Bekanntschaft kein Interesse hatte.

»Ich mache die Wanderung nicht mit«, sagte er.

»Sind das nicht deine Sachen?«

»Doch. Ich werde auch von Bord gehen, aber nicht

wegen der Wanderung. Ich bleibe in Nuuk, voraussichtlich.«

»Ist etwas passiert? Was machst du in Nuuk?« Sie spürte offenbar, dass etwas nicht stimmte.

Jonathan bückte sich zu seiner Reisetasche und schob sie ein paar Zentimeter näher an die Wand. Er schaffte es nicht, sie anzulügen oder mit irgendeiner Geschichte abzuspeisen. Doch noch viel unmöglicher war es, die Wahrheit zu sagen. Eine Wahrheit, die er selbst kaum begriff. »Ich habe Verwandte in Nuuk, die ich besuchen will«, murmelte er, als er sich wieder aufrichtete.

»Du bist also doch Grönländer, oder?«

Er zuckte hilflos mit den Schultern und registrierte dankbar, dass sie ihn nicht mehr neugierig musterte. Sie sah durch das Panoramafenster hinaus zur Küste, auf der mittlerweile blühende Wiesen und vereinzelte bunte Häuser zu sehen waren.

»Für mich ist es auch etwas Besonderes, in Grönland zu sein«, sagte sie. »Meine Eltern stammen aus Sisimiut, aber sie sind nach Kopenhagen gezogen, als ich vier Jahre alt war. Ich kenne das Land nicht, in dem ich geboren wurde.« Sie lachte ein kurzes ironisches Lachen. »Und ich werde es auch nie kennenlernen. Das Grönland meiner Eltern gibt es nicht mehr. Sie haben mir diese Reise zum fünfundzwanzigsten Geburtstag geschenkt, damit ich das Eis zu sehen bekomme, bevor es endgültig schmilzt.« Jetzt schaute sie ihm wieder direkt ins Gesicht. »Warum hast du nicht das Flugzeug genommen? Das wäre doch viel billiger gewesen.«

»Ich weiß. Ich wollte mit der Alaska fahren.«

»Es ist ein schönes Schiff«, sagte sie, »irgendwie altmodisch, wie aus einer längst vergangenen Zeit.«

»Ja, wie aus einer vergangenen Zeit.« Jonathan atmete tief ein. Er hatte plötzlich das Bedürfnis, an Deck zu gehen, frische Luft zu bekommen. »Gehen wir nach draußen?«, fragte er. »Ich möchte die Einfahrt in den Hafen nicht verpassen.« Er legte ihr leicht die Hand auf den Rücken, als sie zur Treppe gingen, die zum Oberdeck führte. Unter dem Stoff ihrer Bluse konnte er die Muskeln ihres Rückens spüren.

Dann standen sie auf dem Oberdeck inmitten der anderen Passagiere und drückten sich an die Reling. Jonathan starrte zum Land hinüber, als wäre dies nicht eine Ankunft, sondern ein Abschiednehmen, bei dem er sich das Bild vor seinen Augen für immer einprägen wollte. Da lag Nuuk, der Hafen, die Stadt, der Sermitsiaq im Hintergrund, doch nichts glich dem, wie er es in Erinnerung hatte. Alles hatte sich verändert, war nicht mehr am rechten Platz, keine Perspektive vertraut. Ein Memoryspiel, bei dem jemand die Karten vertauscht hatte und nichts mehr zusammenpasste. Die Kaianlagen waren offenbar verlegt worden; die Wohnblocks, die den Ort mit ihrer Hässlichkeit gequält hatten, waren nicht zu sehen, stattdessen streckte ein Wald von Baukränen seine Äste in den Himmel. Das wellenförmige Kulturzentrum, der Stolz aller Fortschrittsgläubigen, duckte sich im Schatten eines türkisgläsernen Hochhauses. Nuuk war größer und bunter geworden, selbst die grauen Felsen schimmerten vielfarbig im Licht der Leuchtreklamen. Oder hatte er den Ort unscheinbarer und öder in Erinnerung, als er tatsächlich gewesen war?

Jonathan umklammerte das Geländer so fest, als hätte er Angst, über Bord zu gehen. Es war absurd und sentimental, hierherzukommen, vielleicht sogar zerstörerisch, und doch konnte er es kaum erwarten, an Land zu gehen. Am Kai standen Menschen, die der Ankunft des Schiffes zusahen. Er scannte die Gesichter ab, voller Angst und gleichzeitig voll Hoffnung, irgendjemanden zu erkennen.

»Holen dich deine Verwandten ab?«, fragte Shary. »Wirst du erwartet?«

Jonathan schüttelte den Kopf. »Nein.« Er lachte kurz und höhnisch auf. »Ganz bestimmt nicht.«

»Das klingt traurig«, sagte Shary. Wie selbstverständlich legte sie ihm den Arm um die Schultern.

Jonathan merkte es nicht einmal.

Nuk, Grönland, Frühjahr 2011

warum bist du immer so spät dran?

spät für dich, nicht für mich

arbeitest du nachtschicht?

ja. nun würfel endlich

okay, okay

läuft gut bei dir

glück im spiel … ☺

–

was arbeitest du denn?

Ja, was arbeitete ich eigentlich? Irgendeinen spannenden Job musste ich mir einfallen lassen. Einen, bei dem ich nicht vor zehn Uhr abends zu Hause sein konnte. Obwohl … ich könnte ja auch vom Büro aus spielen, von einer Werbeagentur oder einer Anwaltskanzlei, dreißigtausend Kronen im Monat … Ich hatte nur keinen Schimmer, was man in so einem Büro eigentlich machte, und ich wollte es auch nicht wissen. Wie wär's mit Manager in einer großen Fischverarbeitungsanlage? Jede Menge Überstunden, Zwölf-Stunden-Tag … Nein. Nur kein Fisch. Lieber Filmvorführer im Kino, die arbeiteten auch immer spät. Aber was Kino anging, war ich auch nicht gerade Fachmann. In ganz Grönland gab es ein einziges Kino.

Aber warum verriet ich ihm nicht einfach, dass es bei

mir erst acht Uhr abends war? Warum tat ich so, als ob ich in Deutschland lebte? Wegbeamen geht nicht, Pakku. Ich brauchte ja nur aus dem Fenster zu gucken und die geballte Langeweile von Nuuk breitete sich vor mir aus. Im Vordergrund ein paar bunt gestrichene Holzhäuser, im Hintergrund die hässlichen Plattenbauten, in denen Aqqaluk wohnte, und dazwischen ein paar Straßen, von denen ich jede einzelne schon tausendmal gegangen war. Grönlands Hauptstadt, gerade mal 15 000 Menschen lebten hier. Ingvar hatte recht, es war die kleinste und langweiligste Hauptstadt der Welt.

Ich stand auf und ließ die Jalousie vor meinem Fenster runter. Jetzt war nichts mehr zu sehen. Nur noch das kalte, klar umrissene Licht des Computers.

hallo! bist du noch da?
ist doch egal, oder?
was?
alles
finde ich nicht. mit 5 und 6 werf ich dich raus
na los
–
glückwunsch!
noch ein spiel?
klar. hol mir nur schnell was zu essen

Ich ging in die Küche, wo mein Vater am Küchentisch saß und Zeitung las. Das heißt, er blätterte darin herum und schob sich dabei kalte Fleischbällchen in den Mund, die er von Brugsen mitgebracht hatte. Er sackte immer die Sachen ein, die das Verfallsdatum überschritten hatten. War zwar nicht erlaubt, aber machten natürlich trotzdem alle.

Ich schaufelte mir einen Teller voll, kleisterte alles mit Senf ein und wollte wieder in mein Zimmer.

»Warte mal, Pakku«, nuschelte mein Vater. »Ich muss was mit dir besprechen.« Er spülte den Klops, der ihn am Sprechen hinderte, mit einer halben Flasche Bier hinunter, popelte ein Stückchen Fleisch mit dem Fingernagel zwischen den Zähnen hervor und schob mir gleichzeitig mit dem Fuß unseren zweiten Küchenstuhl zu.

»Ich hab jetzt keine Zeit«, sagte ich. Und setzte mich. Es war der Weg des geringsten Widerstands, weil er mir sonst hinterhergetappt wäre in seiner betrunkenen Hartnäckigkeit, schwankend und zielstrebig wie ein kraftloser Eisbär, der die einzige Beute verfolgt, die er seit Wochen vor die Nase bekommen hat.

»Pass mal auf«, sagte er und fuchtelte mit der Gabel herum. »Es ist bald warm genug. Wir könnten ein Volk aus Dänemark importieren!«

»Was willst du?« Hatte er sich jetzt völlig den Verstand vernebelt? Ich musterte ihn kritisch und warf dann einen Blick auf die aufgeschlagene, senfgelb bekleckerte Zeitung. Vielleicht hatten sie mal wieder was darüber geschrieben, dass Grönland eine der höchsten Selbstmordraten der Welt hatte. Selbstmord, Mord, tödliche Unfälle, alles im Überfluss. Und jetzt machten sie sich Gedanken darüber, wie man das ausgleichen konnte. Doch im selben Moment begriff ich auch schon, was mein Vater meinte. Klar, er sprach von seinen Bienen.

»Es gibt da nur ein kleines Problem, Pakku. Die Viecher sind nicht billig. Ein Bienenvolk kostet mindestens 750 Kronen plus die Kosten für den Transport. Und dann kommt ja noch die Ausrüstung dazu und die Honigschleuder.« Er bückte sich, um in seiner großen Brugsentüte herumzukramen, als hoffte er, dort ein Bündel Kronen zu finden. Als er wieder hochkam, hatte er eine Flasche in der Hand.

»Dann solltest du vielleicht keinen Wodka kaufen«, sagte ich.

Er drehte den Verschluss der Flasche auf, ohne mich anzusehen. Sein rotes, verschwommenes Gesicht wurde noch röter. Er hatte die Flasche bei Brugsen geklaut. Eingepackt, nannte er das. Irgendwann würden sie ihn beim Einpacken erwischen und dann konnte *er* einpacken. Warum war er nur so erbärmlich dumm? Ich glaube, ich war noch keine elf Jahre alt, da hatte ich das Gefühl, dass ich auf meinen Vater aufpassen muss und nicht umgekehrt. Manchmal hab ich ihm einen Eimer Schnee ins Gesicht gekippt, bevor ich zur Schule ging, damit er aus dem Bett kam und zur Arbeit schlappte.

Ich stand auf. »Ich hab zu tun«, sagte ich und ging in mein Zimmer. Der kleine Raum mit den hellgrau gestrichenen Holzwänden, eine Höhle unter dem Eis, die außer mir fast niemand betrat. Hier hatte ich alles im Griff, hier brauchte ich nichts anderes zu tun, als mit einem Mausklick zu reagieren. Die Regeln waren klar. Und wenn mir was nicht passte, konnte ich jederzeit aufhören.

bin wieder da
und? was gibt's zu essen?
gulasch, zum nachtisch erdbeeren mit schlagsahne
klingt gut. wer hat das gekocht?
mein vater
toller vater! ☺
wahnsinnig toll

Mist! Was hatte ich denn da geschrieben? Erstens hatte mein Vater noch nie irgendwas anderes gekocht als Nudeln oder Rührei. Und zweitens hatte ich absolut nicht vorgehabt, Spider etwas von meinem Vater zu erzählen. Ich wollte ihm überhaupt nichts erzählen. Aber ich hatte auf Senden geklickt und zurücknehmen ging nicht.

Ich hatte plötzlich keine Lust mehr zu spielen. Ich schob meinen Schreibtischstuhl zur Seite, schaltete den PC aus, holte mir im Flur meine Jacke und machte die Haustür auf.

»Paggu ...«

Das war er, eine Viertelflasche Wodka schwerer als vorhin. Zögernd blieb ich im Eingang stehen. »Was ist?«

»Wo wissu denn noch hin?«

»Weiß nicht. Zu Aqqaluk.«

»Zu Aqqaluk«, wiederholte er, als müsste er nachdenken, wer das denn noch mal war.

Ich lief die Straße hinunter, wie immer gegen den Wind, und zog mir die Kapuze tiefer in die Stirn. Ein grauer, feuchter Dunst hing über Nuuk und es war verdammt kalt. Keine Ahnung, wie die in den Nachrichten darauf kamen, dass der Frühling jedes Jahr früher da war.

Als ich noch bei meiner Großmutter lebte, begann der Frühling damit, dass ich kurze Hosen anziehen durfte. Egal, wie oft ich mir die Knie aufschürfte und mir die Beine mit Brennnesseln verbrannte, ich zog erst wieder lange Hosen an, wenn der Herbst kam. Inzwischen hatte ich vergessen, wie sich das anfühlte. Wind, der dir um die nackten Beine streicht. Sonne, die dir auf den Bauch scheint, wenn du im Freibad auf der Wiese liegst. Auf der Luftmatratze über den See treiben und das Wasser schwappt dir über den Rücken.

Ich lief vorbei an Felsen und Geröll und matschigen Pfützen. Steine über Steine, einer grauer als der andere. Nuuk sah immer aus wie eine Baustelle, auf der ein Kieslaster sein Zeug abgeladen hatte. Irgendein Schwachkopf hat mal in die Welt gesetzt, die Inuit hätten hundert Begriffe für Schnee. Bullshit, sie brauchen hundert Wörter für Steine.

Als ich rausgegangen war, hatte ich noch nicht gewusst, wohin ich eigentlich wollte. Aber jetzt steuerte ich tatsächlich auf die Wohnblocks zu, in denen Aqqaluk mit seiner Familie wohnte. Fast alle, die bei Sven arbeiteten, lebten dort. Aqqaluk, Anga, Signe. Und Maalia. Wie dunkle Mauern hoben sich die Blocks gegen den Nachthimmel ab. Anga hatte mal gesagt, dass er sich wirklich fühlt, als wäre er eingemauert in diesen Wohnsilos. Weggesperrt vom richtigen Leben. Für Anga war das richtige Leben das, was seine Vorfahren geführt hatten, draußen im Eis, wo sie von der Robbenjagd gelebt hatten, seine Großeltern so wie seine Urgroßeltern, und die wie ihre Eltern und deren Eltern. »Kannst ja in den Norden gehen und einen auf Robbenjäger machen«, hatte Aqqaluk gelästert. »Warum machst du das denn nicht?« Anga hatte nicht geantwortet, und als Aqqaluk nicht damit aufgehört hatte, ihn als Indianer und Trommeltänzer zu verspotten, war er aufgestanden und hatte uns sitzen lassen. Aqqaluks Vater hatte mir mal erzählt, wie das damals gewesen war, als man seine Familie nach Nuuk umgesiedelt hatte. Die dänische Regierung hatte sich mächtig angestrengt, den verstreut lebenden Inuitfamilien die Segnungen des zwanzigsten Jahrhunderts näherzubringen. »Natürlich war es praktisch, auf einmal elektrisches Licht zu haben und Heizungen und Klos mit Wasserspülung, für die jungen Leute war das eine große Sache gewesen. Aber für die Schlittenhunde war kein Platz mehr zwischen den Steinmauern«, hatte er gesagt. »Schlittenhunde sind in Nuuk sowieso nicht erlaubt«, hatte Aqqaluk eingewandt. Sein Vater hatte ihn nicht beachtet, sondern von seiner Jugend in Ilulissat erzählt, von den Fahrten über das Eis und von der Suche nach den Robben, dem Heulen der Hunde, dem Lachen der Männer, wenn sie am Lagerfeuer saßen und ihr Jagdglück feierten. »Das war in einem anderen Jahrtausend«, hatte er gesagt und Aqqaluk hatte auch ihn ausgelacht. »Klar war das in einem anderen Jahrtausend, Väterchen. 1950 oder so um den Dreh.«

Ich hatte Aqqaluks Wohnblock noch nicht erreicht, als ich einen leisen Pfiff hörte. Ich drehte mich um. Es war Maalia, die auf einem Felsbrocken saß, die Beine angezogen, die Arme um die Knie geschlungen, als wollte sie sich vor dem Wind und der Kälte schützen. Unter ihrer bunt gestreiften Wollmütze guckten die schwarzen Haare hervor. Ihre Augen konnte ich nicht erkennen.

»Hey, Pakku! Wo willst du denn noch hin?« Die gleiche Frage hatte ich gerade erst gehört.

»Weiß nicht. Zu Aqqaluk«, antwortete ich vage.

»Warum?«

»Warum nicht?«

Sie streckte die Beine, stand auf und kam auf mich zu. Wie selbstverständlich nahm sie mich bei der Hand. »Ich wüsste was Besseres«, sagte sie, »Pakku ...« Sie zog das u am Ende meines Namens länger, als es nötig war; es klang verlockend und sexy.

Der eisige Wind prickelte mir auf den Wangen, aber mir wurde trotzdem heiß. Mein Mund war plötzlich trocken. Klar, Aqqaluk hatte recht gehabt. Maalia wollte was von mir. Und ich von ihr. Oder warum war ich mitten in der Nacht bei dem Dreckswetter zu den Blocks gelaufen?

Sie stand dicht vor mir, mit leicht geöffnetem Mund. Wie feiner Rauch kräuselte sich ihr Atem in der Kälte. »Weißt du, dass Kinder, die bei Nordlicht gezeugt werden, besonders intelligent werden?«, fragte sie mich. Jetzt konnte ich ihre schmalen, dunklen Augen sehen. Aber ich konnte nicht erkennen, ob sie lächelte.

»Klar«, antwortete ich. »Ich bin auch bei Nordlicht gezeugt worden. Aber ich dachte immer, ihr glaubt, dass bei Nordlicht die Toten mit Walrossschädeln Fußball spielen.«

Maalia sah mich wortlos an. *Ihr* hatte ich gesagt, und ich hatte gemerkt, dass sie das gemerkt hatte. Warum hatte ich das gemacht? Wollte ich sie auf Abstand halten, indem ich ihr klarmachte, dass ich anders war als sie, dass ich nicht wirklich hierhin gehörte? Einen Herzschlag lang zögerte sie und ihre dichten schwarzen Wimpern flatterten. Dann lachte sie und griff meine Hand noch fester. Sie zog mich mit sich, weg von den Wohnblocks, zum Wasser hin. In Nuuk geht es immer irgendwie zum Wasser hin. Fünf Minuten später lehnten wir im Schatten eines Bootshauses an der Wand und sie schmiegte sich in ihrer dicken Winterjacke an mich.

»Siehst du, Pakkutaq«, flüsterte sie. »Das Nordlicht!«

Ich schob meine Kapuze zurück und schaute zum Himmel. Sie hatte recht! Von den diesigen Wolken war nichts mehr zu sehen, der Wind hatte sie davongejagt. Der Himmel schimmerte und flackerte grün und gelb, er bauschte sich wie ein seidenes Tuch, er floss über vor Farben, er atmete und lebte und tanzte und leuchtete und mein Herz wurde weit. Ich konnte nicht anders. Ich liebte dieses Licht. Es war wie eine Droge, wie Acid, wie etwas aus einer anderen Welt, ein lautloses Wunder, ein Gratisgeschenk der Götter, an die ich nicht glaubte, ein Geschenk, das niemand kaputt machen konnte.

Ich stand atemlos da und ließ das Licht in mich einströmen. Es dauerte ein paar Sekunden, bis ich merkte, dass Maalias Hand sich unter meine Jacke und meinen Pullover geschoben hatte, lautlos und unruhig wie das Licht über uns tanzten ihre Finger auf meiner Haut. Jeden Zentimeter, den sie berührten, brachten sie zum Brennen. Ihr Mund war an meinem Ohr, ihre Lippen, ihre Zunge, ich hörte Worte, die ich nicht verstand, weil das Blut in meinem Kopf rauschte. Als ihre Finger weiter nach unten wanderten und sich unter den Bund meiner Hose schoben, hämmerte mein Herz so sehr, dass es wehtat. Immer noch murmelte sie unsinnige Worte. Ich legte den Kopf in den Nacken und sah hinauf zum lodernden Himmel. Kinder, die bei Nordlicht gezeugt werden … Mann, noch ein paar Zentimeter weiter, ein paar Sekunden nur noch, und sie hatte mich am Haken. Das grüne, wehende Licht dort oben, das war unheimlich und verwirrend und ich konnte nur noch eines denken: Niemals würde ich von hier wegkommen, niemals. Ich stieß sie so abrupt von mir, dass sie taumelte, griff nach ihr, um sie festzuhalten, ließ sie wieder los. Ich wollte nichts von Maalia, keinen Sex, keine Liebe, kein Nordlicht, gar nichts. Ich wollte nicht für immer hierbleiben, so wie mein Vater. Ohne ein Wort zu sagen, rannte ich davon.

Nuuk, Grönland, Sommer 2020

Um Mitternacht stand Jonathan am Fenster seines Hotels und sah auf die Stadt hinunter. Die Nacht war so hell, dass die Leuchtreklamen und die Scheinwerfer der Autos kraftlos wirkten. Er versuchte sich zu orientieren, die Schule zu entdecken, auf die er viele Jahre gegangen war, die Einkaufsstraße, das Kulturzentrum. Das Haus seiner Kindheit. Doch es war unmöglich. Die Stadt war so gewachsen, dass die Proportionen nicht mehr stimmten, und weil die Wohnblocks nicht mehr da waren, fehlte ihm jeder Anhaltspunkt.

»Sie haben Risse bekommen, weil sich das Land bewegt hat«, war die Antwort des Portiers gewesen, als er ihn nach den verschwundenen Blocks gefragt hatte. Jonathan war sich nicht sicher gewesen, ob er diesen Satz wörtlich nehmen sollte oder ob der Mann in Metaphern sprach, wie sie die Inuit gerne gebrauchten. »Niemand hat den Klötzen nachgetrauert, als sie abgerissen wurden. Fünfhundert Leute in einem einzigen Haus, das war doch sowieso verrückt gewesen. Da sind doch viele durchgedreht.«

»Wo sind die alle hingezogen?«, hatte Jonathan gefragt.

»In die neue Siedlung im Osten der Stadt«, hatte der Mann mit einem gewissen Stolz gesagt. »Das sind schöne neue Häuser.«

Jonathan drückte die Stirn an die kühle Fensterscheibe und schloss die Augen. Noch immer spürte er das Wiegen des Schiffes, das seinen Gleichgewichtssinn durcheinandergebracht hatte, so als wäre er noch an Bord der Alaska. *Weil sich das Land bewegt hat.* Die Worte des Portiers kreisten in seinem Kopf. *Das Grönland meiner Eltern gibt es nicht mehr.* Wer hatte das gesagt? Er ging zum Bett hinüber und streckte sich aus. Das Bett schwankte, rollte im Rhythmus des Meeres, ihm wurde schwindelig, als er die Augen schloss. Weil sich das Land bewegt hat …… wie aus einer vergangenen Zeit … sie haben Risse bekommen … Erinnerungen tauchten auf, Worte, Bilder, Gefühle versanken wieder, bevor er sie halten konnte. Schweißgebadet lag er da, unfähig, sich zu bewegen, die Glieder schwer, als wären sie aus Stein.

Bevor er in den Schlaf sank, durchzuckte ihn ein Gedanke, der ihn zurückrief. Er hatte sich überhaupt nicht von Shary verabschiedet und ihr viel Spaß auf der Wanderung gewünscht. Als das Schiff anlegte, hatte er sie völlig vergessen. Das Land meiner Eltern gibt es nicht mehr, natürlich, das hatte sie gesagt. Vielleicht traf er sie auf der Rückreise wieder, dann konnte sie ihm erzählen, was für ein Land sie gefunden hatte.

Nuuk, Grönland, Frühjahr 2011

»Wir sollten mal loslegen, Pakku. Vielleicht kannst du endlich mal googeln, wo wir am besten die Imkerausrüstung herkriegen.« Mein Vater saß mir am Küchentisch gegenüber und drehte sich eine Zigarette. Die trockenen Krümel fielen auf die Wachstuchtischdecke und blieben dort wie ausgerissene Spinnenbeine kleben. Er hatte genau den Spritpegel, den er brauchte, um auf Hochtouren zu laufen. Und an diesem Nachmittag nutzte er das, um mir ein schlechtes Gewissen zu machen, weil unser Bienenprojekt nicht so richtig in Schwung kam.

»Mach du das doch«, antwortete ich müde.

»Würde ich ja, aber du blockierst doch jeden Abend den Computer. Was spielst du da eigentlich?«

»Alles Mögliche. Vielen Dank für das Stichwort.« Ich nahm meinen Teebecher und flüchtete in mein Zimmer. Doch eigentlich hatte ich keine Lust zu spielen, ich hatte nur weggewollt aus unserer engen Küche, in der sich das schmutzige Geschirr türmte, weil keiner von uns sich daranmachte, die Spülmaschine auszuräumen. Die Küche war unser gemeinsames Wohnzimmer, der Ort, an dem wir uns täglich begegneten, so gemütlich wie eine Abstellkammer. Spülmaschine, Kühlschrank, Regale mit einem Sammelsurium an Geschirr und Werkzeug, ein wackeliger Campingtisch, zwei Stühle und ein Stapel Bierkisten mit leeren Flaschen, in denen der Schimmel blühte. Die Wände waren mal weiß gewesen, aber jetzt hatten sie die gleiche Farbe wie die verharschten Schneereste am Straßenrand. Vor dem Fenster erstreckte sich die felsige, baumlose Landschaft, in der ein paar ähnliche, bunt bemalte Häuser standen wie unseres. Rote, blaue, gelbe Klötzchen, wie Spielzeughäuschen. Die Farben sollten fröhlich stimmen, klar, taten sie aber nicht. Die schmutzigen Schneereste und das viele Grau ringsherum, das sich mit dem stumpfen Grün der Flechten und Moose vermischte, waren stärker.

Ich schaltete den PC ein und trieb mich tatsächlich auf drei, vier Imkerseiten herum. Nach einer halben Stunde summte mir der Kopf und ich war mir tausend Prozent sicher: Das Ganze war eine Schnapsidee meines Vaters und hatte nichts, absolut nichts mit mir zu tun.

Aber was hatte mit mir zu tun? Was ging mich wirklich etwas an? War nicht mein größtes Problem, dass es nichts und niemanden gab, zu dem ich wirklich passte? Okay, Aqqaluk war mein Freund und Anga war cool und ich mochte ihn, aber sie waren anders als ich, sie lebten wie selbstverständlich in diesem Land und ich glaube, sie liebten es, ganz gleich, ob es eine verdammte Sackgasse am Ende der Welt war. Sie würden hierbleiben, in Grönland, da war ich mir sicher. Solche Typen wie Ingvar, die jede Chance nutzen würden, um irgendwas in Dänemark aufzuziehen, irgendwas, mit dem sie Geld machten – mit denen hatte ich noch viel weniger zu tun. Und mein Vater? Mann, er war erst vierzig, aber er hatte sein Leben gelebt und hatte aufgegeben, noch etwas anderes daraus zu machen, egal, wie viele tolle Ideen er noch ausbrüten würde.

Das war es doch: Ich war das Ergebnis einer seiner tollen Ideen, in die er sich gestürzt hatte. Grönland! Das große Abenteuer! Die Wildnis! Klettern im ewigen Eis … Vor zwanzig Jahren war er auf der Suche nach dem ganz großen Kick hier gelandet, dann hatte er ein Inuit-Mädchen aus irgendeinem Kaff im Norden kennengelernt und ein Kind gezeugt. Basta.

Ich sah mein Spiegelbild in der Fensterscheibe, die dunklen Augen, das schwarze, zottelige Haar, sah den Schatten auf meiner Seele und streckte mir die Zunge raus. Pakkutaq Wildhausen! Meine Großmutter hatte einmal zu mir gesagt: »Mit so einem Namen muss ja etwas Besonderes aus dir werden.« Sie hatte es lachend gesagt, aber mir war trotzdem ganz feierlich zumute gewesen. Es war an einem verregneten Sommertag gewesen und wir hatten Kekse gebacken, die die Form Grönlands hatten, mit weißem Zuckerguss und Nuuk war eine kleine rote Liebesperle, die auf der linken Seite klebte. Meine Großmutter hatte immer gewollt, dass ich nicht vergesse, wo ich geboren wurde und wo mein Vater lebte. Sie konnte ja nicht wissen, dass sie schon bald tot sein würde, Herzinfarkt, und dass ich in einem Flugzeug Richtung Arktis sitzen würde, noch bevor die Dose mit den Keksen leer war.

Ich war von Kopenhagen aus gestartet, wo mein Großonkel mich mit dem Auto hingefahren hatte. Und dann hatte ich stundenlang in einem Flugzeug gesessen und aus dem Fenster gestarrt. Ich weiß noch, dass ich um nichts in der Welt den Moment verpassen wollte, in dem das fremde Land auftauchen würde. Ich stellte es mir genauso vor wie die Zuckergusskekse. Neben mir hatte eine Frau gesessen, die nach Schweiß roch. Wie verrückt, dass ich das in all den Jahren nicht vergessen hatte. Die Frau war die Erste gewesen, die mir von Hans Egede erzählt hatte, dem Missionar, über den ich später in der Schule x-mal zu hören bekommen sollte. »Stell dir vor«, hatte sie gesagt, »als der Hans Egede den Eskimos das Vaterunser beibrachte, hat er einfach eine Zeile umgeändert: *Unser täglich Seehund gib uns heute* – weil die Eskimos doch kein Brot kannten!« Sie hatte dröhnend gelacht und ich hatte mich weggedreht, um weiter aus dem Fenster zu schauen.

»Hey, Pakku …« Ich prostete meinem Spiegelbild mit dem Teebecher zu und versuchte mir vorzustellen, wie es älter wurde, Falten um die Mundwinkel bekam, graue Haare, Tränensäcke, so wie mein Vater. Irgendwann einmal würde aus Pakku Herr Wildhausen geworden sein und das würde ich sein. Unvorstellbar.

Im Nebenzimmer hörte ich den Fernseher dröhnen, mein Vater guckte Fußball, wahrscheinlich dänische Liga. Ich überlegte, mich zu ihm zu setzen, aber ohne dass ich einen wirklichen Entschluss gefasst hätte, flimmerte auch schon das Backgammonbrett vor mir auf. Ich hatte es geahnt: Spider war online. Ich freute mich richtig, obwohl mir klar war, wie peinlich das war. Da saß ich in meinem Zimmer in Nuuk, und anstatt mit meinen Freunden unterwegs zu sein oder mit dem Mädchen rumzumachen, das scharf auf mich war, traf ich mich mit einem Typen, den ich nicht kannte, um ein Spiel zu spielen, das ungefähr so aufregend war wie Zähneputzen. Ich verkroch mich vor dem Leben, weil ich nicht wusste, in welche Richtung es gehen sollte. Wieder sah ich das Bild des Jungen dort in der Fensterscheibe, leicht vorgebeugt, als erwartete er etwas, das ihm die Entscheidung abnahm.

Nuuk, Grönland, Sommer 2020

Jonathan schlief tief und traumlos bis in den Mittag hinein, und als er aufwachte, fühlte er sich wie befreit. Es war gut, nicht mehr auf dem Schiff zu sein. Er hatte endlich wieder eine Nacht durchgeschlafen, ohne angsterfüllt hochzuschrecken, und jetzt war er begierig darauf, das Hotelzimmer zu verlassen. Obwohl es schon fast zwölf war, hatte er keinen Hunger. Er wollte duschen, sich rasieren und dann hinaus in die Stadt.

Als Erstes musste er zum Haus seines Vaters gehen. Denn nichts war schlimmer als die Vorstellung, ihm plötzlich irgendwo auf der Straße gegenüberzustehen. Nuuk war eine Kleinstadt, keine zwanzigtausend Einwohner, und da konnte er ihm jederzeit über den Weg laufen.

Der Portier hatte ihm am Abend einen Stadtplan mitgegeben, den er jetzt auf dem Bett ausbreitete. Er fand sich besser zurecht, als er gedacht hatte. Da waren das Kulturzentrum, der Markt, die Kirchen und die Schule mit dem Fußballplatz, der stets monatelang unter Schnee begraben gewesen war. Aber es gab auch ein Netz um das alte Nuuk herum, aus neuen Straßen, die nach den Tieren der Arktis benannt worden waren. Vielleicht hatte man ihnen ein Denkmal setzen wollen, bevor es sie nur noch im Zoo geben würde. Es dauerte eine Weile, bis er den Rasmussenvej entdeckte, der nicht mehr so wie früher am Rande des Ortes lag.

Jonathan nahm seine Jacke und ging in die Hotelhalle. Der Portier wollte ihm den Schlüssel für eins der stadteigenen Daylightmobile geben. »Das ist eine tolle Sache«, meinte er. »Im Sommer brauchen Sie nichts dafür zu bezahlen. Dafür wird's im Winter umso teurer. Aber dann steigen viele auf Snowmobile oder Langlaufskier um. Dann gibt's genug Schnee.« Der Portier klimperte wieder mit dem Schlüssel. »Soll ich Ihnen einen Wagen zeigen? Wir haben ganz wendige Einsitzer.«

Jonathan hatte schon von den neuartigen Fahrzeugen gehört, die hier auf Grönland entwickelt worden waren. Soweit er wusste, waren sie extrem leicht und ganz und gar mit einem Material beschichtet, das Tageslicht in Energie umwandelte. Er hatte vom Fenster aus etliche der windschnittigen Autos gesehen und auch vor der offenen Hoteltür surrte eines mit einem Geräusch vorbei, das an Hummeln erinnerte. Aber jetzt hatte er wirklich anderes im Kopf als das Gerede über Autos.

»Vielen Dank, ein anderes Mal«, antwortete er. »Ich will lieber zu Fuß gehen.«

Jonathan ging zielstrebig los. Doch schon nach wenigen Minuten verlor er die Orientierung. Warum hatte er nur den Stadtplan nicht eingesteckt? Anders als auf dem Plan war ihm plötzlich kaum noch etwas vertraut. Es gab so viel Neues und so vieles, an das er keinerlei Erinnerung mehr hatte. Dieser fremde Ort, der irgendwo auf der Welt hätte sein können, verwirrte ihn. Hier gab es genau die gleichen Fast-Food-Restaurants wie in Hamburg. Ein Walmart, ein Lidl, Läden mit Modeschmuck und Markenklamotten. Sogar die Sprüche auf den Werbeplakaten kannte er; die meisten waren ja mittlerweile eh auf Englisch. Und wo kamen denn nur all die Menschen her? Kaum die Hälfte von ihnen schien Inuit zu sein. Waren das Touristen? Jonathan war schwindelig, fast so, als ob er spüren konnte, wie sich das Land unter seinen Füßen hob. Er lehnte sich an ein Schaufenster und schloss die Augen. Er hätte frühstücken sollen, anstatt nur mit einem Kaffee im Magen loszurennen.

Das alles, die ganze Reise, war eine völlig absurde Aktion gewesen. Was taumelte er hier durch die Gegend, durch diese Stadt, die ihn nichts anging? Nie im Leben würde er den Mut aufbringen, bei seinem Vater aufzutauchen, einfach so. Hallo, hier bin ich. Gibt's was Neues? So, als wäre nichts gewesen. Wieso nur hatte er sich nicht vorher überlegt, was er sagen sollte?

Aus dem Café, vor dem er stand, kam der Duft von frischen Brötchen, Kaffee und Kuchen. Er stolperte hinein und ließ sich an einen der kleinen Tische am Fenster sinken.

»Geht's Ihnen gut, Mister? Was darf ich Ihnen bringen?« Eine freundliche Kellnerin sprach ihn auf Englisch an und Jonathan bestellte gegen jede Vernunft wieder nur einen schwarzen Kaffee. Als die Kellnerin zurückkam, stellte sie ihm eine große Schale Kekse dazu. »Help yourself«, sagte sie und lächelte. War das vielleicht so üblich in Grönland? Gab es immer eine ordentliche Portion Kekse zum Kaffee? Er konnte sich nicht erinnern.

Er nahm sich von den Schokoladenkeksen und spülte mit Kaffee nach. Um ihn herum schwirrten Stimmen auf Englisch, Dänisch, Deutsch und Grönländisch. Immer noch war ihm schwindelig; diese verdammte Schiffsreise hatte sein Gleichgewichtsgefühl völlig durcheinandergebracht. Er stützte den Kopf in die Hände, presste die Finger auf die Lider und sehnte sich plötzlich nach der Ruhe seiner Werkstatt. Die Vorstellung, in weniger als zwei Wochen wieder zu Hause zu sein und all seine wirren Gefühle in die feste Form einer Skulptur zu meißeln, ließ ihn ruhiger werden. Nein, er hätte gar nicht erst wegfahren sollen.

Er sah zum Fenster hinaus auf die Straße. Dort zwischen den Menschen, die es anscheinend alle ziemlich eilig hatten, glaubte er ein bekanntes Gesicht gesehen zu haben. So wie auf der Alaska meinte er für eine Sekunde, es wäre Maalia. Doch es war Shary, die dort auf einer Bank an der Bushaltestelle saß, in Outdoorjacke, mit Wanderstock und einer dieser neuen Surroundmützen auf dem Kopf. Aber die Musik, die sie damit hörte, schien ihr nicht gerade gute Laune zu machen. Sie schaute ausgesprochen missmutig drein.

Eigentlich hätte sie doch schon am Morgen zu ihrer Wanderung aufbrechen sollen, oder nicht? Wieso war sie noch hier? Plötzlich freute sich Jonathan, sie wiederzusehen und mit ihr zu sprechen. Mitten in diesem so fremden Nuuk kam sie ihm wie eine gute Bekannte vor. Eilig holte er einen Geldschein aus der Hosentasche, legte ihn auf den Tisch und verließ das Café.

Nuuk, Grönland, Frühjahr 2011

wie war die nachtschicht?
wie immer
also beschissen
???
woher ich das weiß? denke ich mir
sehr schlau
deswegen gewinne ich auch meistens

Es stimmte. Zumindest an diesem Abend gewann Spider ziemlich oft. Wir spielten ein Spiel nach dem anderen und plänkelten ein bisschen herum. Das Bier, das ich nebenbei trank, machte mich schläfrig. Oder lag es daran, dass ich wusste, dass es bei ihm schon weit nach Mitternacht sein musste? War das vielleicht ansteckend? Als mein Handy klingelte und Aqqaluk mich fragte, ob ich auf eine Pokerrunde mit zu Ingvar gehen würde, konnte ich mich nicht mehr aufraffen. »Mit dir ist nichts mehr los, Pakku«, meinte Aqqaluk. Ich zuckte nur mit den Schultern, schaltete das Handy aus und warf es aufs Bett. Über dem Kopfende hing ein Poster von einem Wal und in der Ecke hinter dem Bett klemmte meine Angel. »Mit uns allen ist nichts mehr los, Aqqa«, sagte ich. Ich zog die Angel hervor und rollte ein paar Meter Schnur ab und wieder auf. Noch vor einem Jahr waren wir bis in den Frühling hinein zum Skilaufen gegangen, und sobald das Eis schmolz, waren Aqqaluk und ich mit dem Kajak den Fjord hochgefahren. Wir hatten das blitzschnelle Wenden geübt, um den Eisschollen auszuweichen, und uns nach den besten Angelplätzen umgeschaut. Als es wärmer wurde, hatten wir mit unseren Angeln am Ufer gesessen, heißen Tee aus Thermoskannen getrunken und vor uns hin geschwiegen. Im Dunkeln paddelten wir zurück und das Mondlicht und das Funkeln der Sterne brachten das Weiß um uns herum zum Glitzern. Aber seit einiger Zeit lief das nicht mehr. Wir waren fast nie mehr alleine unterwegs, sondern immer mit der ganzen Gang zusammen, mit Ingvar und seinen Freunden. Pokern, Computerspiele, Pornos, Alk und ab und zu ein Joint.

Ich steckte das Handy wieder ein, holte ein neues Bier, ging kurz aufs Klo und setzte mich zurück an den PC.

hallo! ich warte
sorry, war pinkeln
im stehen?
geht dich nichts an ☹
'tschuldigung

Ich musste grinsen. Hey, Spider, du bist immer noch reichlich neugierig. Beim Backgammon ist es doch egal, mit wem man es zu tun hat, oder nicht? Oder spielst du nur mit Jungen? Bist du einer von diesen Typen? Ich sah seine Hände vor mir, wie sie klackklackklack die Tasten tippten. Bestimmt hatte er weiche, weiße Finger mit sauberen Nägeln, keine, die Krabben pulten, und auch keine, die an der Supermarktkasse Geld sortierten oder Wodkaflaschen in Plastiktüten verschwinden ließen. Ich sah ihn an seinem ordentlich aufgeräumten Schreibtisch sitzen, einem aus schwerem, dunklem Holz, und neben dem PC stand ein Glas Rotwein. Nur sein Gesicht sah ich nicht. Und das wollte ich auch nicht. Ich hatte kein Bedürfnis danach herauszufinden, mit wem ich jeden Abend Backgammon spielte. Die Wirklichkeit war sowieso meistens öder als alles, was man sich vorstellen konnte.

Wie unglaublich gespannt war ich gewesen, damals, als ich neben dieser schrecklichen Frau im Flugzeug nach Grönland saß. Gespannt und voller Angst und Vorfreude auf das fremde Land und den fremden Mann, bei dem ich von da an leben sollte. Als die ersten Eisberge unter mir auftauchten und dann die ganze weiße Insel, hab ich vor Aufregung einen Schluckauf gekriegt. Der Mann, der mich Stunden später am Flugplatz abholte und mit dem ich dann in ein kleineres Flugzeug umstieg, um nach Nuuk zu fliegen, kam mir stark und mächtig vor und ich traute mich kaum, ihn anzuschauen. Wir sprachen nicht viel auf diesem Flug, auch nicht, als wir in dem rot gestrichenen Holzhäuschen ankamen und er mir mein Zimmer zeigte. Ich fühlte mich unsicher, weil ich nicht wusste, wie ich ihn nennen sollte. Meine Haut unter dem Wollpullover, den mir meine Großmutter im letzten Winter gekauft hatte, juckte und kribbelte und ich schwitzte und fror gleichzeitig, war müde von der langen Reise und trotzdem hellwach. Es hatte mich bedrückt, alles zurückzulassen, was bisher mein Leben gewesen war. Aber ich hatte es gegen etwas Neues, etwas Großes eingetauscht – ich würde bei meinem Vater leben!

bist du noch da?
na klar
willst du nicht sagen, wer du bist?
tu ich doch. ich bin der bienenkönig
ach ja. und ich spider
magst du honig?
geht so
ich auch nicht
☺
was ist mit dir? kannst du gut klettern?
wie eine spinne

Ja, ich war der Bienenkönig, zumindest für Spider. Unter diesem Namen hatte ich mich eingeloggt, wahrscheinlich weil mir mein Vater mit seinem Imkerkram das Hirn verklebt hatte. Aber eigentlich war der Name gar nicht schlecht. Ein Bienenkönig, das war etwas, was es nicht gab, genau wie ich selbst, Pakku Wildhausen. Auch ich war etwas, was nicht vorgesehen war. Mit jedem kalten Morgen, den ich in dem Holzhäuschen allein am Küchentisch saß und mir mein Frühstücksbrot schmierte, mit jeder Stunde in der Schule, wo ich kein Wort verstand, mit jedem hilflosen Versuch meines betrunkenen Vaters, so etwas wie ein Vater zu sein, spürte ich das mehr. Es gab niemanden, zu dem ich gehörte, niemanden, der so war wie ich. Eigentlich hätte es mich nicht geben sollen.

Ich kannte dieses Gefühl. Es war immer schon ein Teil von mir gewesen. Manchmal merkte ich es nicht, dann lag es zusammengerollt wie ein kleines Tier in meinem Innern und schlief. Aber es war blitzschnell wach, wenn ich mitbekam, wie die Leute auf dem Markt in Dannenberg mich anschauten, so verdammt freundlich und ganz überrascht, dass ich so gut deutsch sprechen konnte. Oder wenn die Kinder Eskimo zu mir sagten oder Indianer, eigentlich nur im Spaß. Und es hob auch dann verschreckt den Kopf, wenn der Blick meiner Großmutter diesen liebevollen, besorgten Ausdruck annahm, in dem ein Staunen darüber lag, dass ihr der Zufall so einen Enkelsohn beschert hatte.

Aqqaluk hatte einen PC mit Kamera und beim Chatten schickte er fröhlich sein Gesicht in alle Welt, egal, an wen. Ich fand's reichlich naiv, so was macht man einfach nicht, aber ich beneidete ihn trotzdem um seine Unbekümmertheit.

hast du keine angst?
wovor? dass ich schon wieder verliere?
dass die biene im netz hängen bleibt
ich kann auf mich aufpassen
wirklich?
wirklich
gut. dann pass auf, dass ich dich nicht gleich rauswerfe
fuck!

Ich hatte schon wieder verloren, weil ich einen ungeschickten Zug gemacht hatte. Meine Gedanken gingen ihre eigenen Wege. Sie ließen sich nicht durch zwei elektronische Würfel im Zaum halten.

Nuuk, Grönland, Sommer 2020

»Hey, Shary!« Gerade als der Bus in die Haltespur einbog, hatte Jonathan die andere Straßenseite erreicht. Shary hörte ihn nicht, weil der Sound aus ihrer Mütze alle Geräusche verschluckte. Erst als er direkt vor ihr stand, nahm sie ihn zur Kenntnis. Während sie die Surroundmütze absetzte und die Lautsprecher ausstellte, wanderte ihr Blick zwischen dem Bus und Jonathan hin und her. Sie zögerte kurz, dann ließ sie den Bus abfahren, ohne einzusteigen.

Sie hielt ihm die Mütze hin. »Willst du mal hören?«, fragte sie. »*Don't you leave me alone* … Ein wahnsinnig guter Song. Passt wirklich wunderbar.« Sie klang bitter.

Jonathan schüttelte den Kopf. Er setzte sich zu ihr auf die schmale Bank, neben ihren Rucksack. »Was machst du hier?«, fragte er. »Ich dachte, ihr seid schon los.«

Statt einer Antwort klopfte sie gegen den Metallstock, den sie auf den Knien liegen hatte. Jetzt erkannte Jonathan, dass es eine Krücke war und kein Wanderstock. Er sah sie fragend an.

»Ich bin ausgerutscht«, sagte sie. »In der Dusche. Das musst du dir mal vorstellen.«

»Nicht wirklich, oder?« Jonathan lachte. Aber ein Blick von Shary brachte ihn zum Schweigen.

»Ich komme gerade vom Arzt. Die Wanderung kann ich vergessen, ich kann ja nur noch humpeln. Meine Gruppe zieht genau in diesem Moment ohne mich los und die Alaska ist auch seit einer Stunde weg.«

»Und jetzt?«

»Jetzt wollte ich gerade zum Bed & Breakfast. Beim Arzt haben sie mir eins empfohlen.« Sie zeigte ihm den Zettel, den sie in der Hand hielt.

Jonathan warf einen Blick auf die Adresse und nickte; er erinnerte sich an die Straße. Sie lag in der Nähe des Friedhofs.

»Kennst du dich hier aus?« Shary musterte ihn.

Jonathan spürte ihre Neugier geradezu körperlich und er spürte, wie ihm der Schweiß ausbrach. Verdammt noch mal, wieso geriet er bei jeder Kleinigkeit gleich in Panik? Dieses Mädchen hier, das hatte nichts, absolut nichts mit seiner Vergangenheit zu tun.

»Ich hab mir den Stadtplan angeguckt«, antwortete er. »Es kann nicht allzu weit von hier sein. In Nuuk liegt alles ziemlich dicht beieinander, schätze ich.« Er schnipste gegen ihre Krücke und zwang sich zu einer Lockerheit, die ihm wie Schwerstarbeit vorkam. »Wenn du willst, bring ich dich hin.«

»Klar. Gerne.« Shary warf ihre langen schweren Haare mit einem Schwung nach hinten. »Ich bin froh über jede Minute, die ich hier nicht alleine abhängen muss. Meinst du, wir könnten zu Fuß gehen?«

»Wenn du das schaffst ...« Jonathan stand auf, nahm ihren Rucksack und reichte ihr die Hand. Shary stützte sich auf ihre Krücke und gemeinsam gingen sie die Fußgängerzone hinunter, bis sie unbelebter wurde und es kaum noch Läden gab. Der Weg ging über einige Holzstege und Treppen bergauf und Shary hakte sich bei Jonathan ein. Sie sprachen kaum miteinander. Vielleicht ahnte Shary, dass Jonathan ihren Fragen ausweichen würde. Sie erzählte ihm nur kurz von der Diagnose des Arztes, der ihr geraten hatte, ihr verstauchtes Sprunggelenk ruhig ein wenig zu belasten.

»Toller Urlaub«, grummelte sie. »Jetzt kann ich durch dieses langweilige Nest humpeln, bis die Alaska wieder da ist.«

Jonathan hörte ihr kaum zu. Hier, außerhalb des Zentrums, hatte sich längst nicht so viel verändert. Die gleichen bunten Holzhäuschen säumten die Straße, graue Felssteine lagen wie verloren am Straßenrand, eine wohltuende Stille umgab sie. Ohne sich dessen bewusst zu sein, ging er an der Straße vorbei, die zu Sharys Pension führte, hinauf zum Friedhof, von wo aus man einen weiten Blick über das Meer hatte.

»Ich befürchte, wir haben uns verlaufen«, sagte Shary ein wenig atemlos. »Hier wollte der Arzt mich hoffentlich nicht unterbringen, oder?« Sie lachte und ließ sich auf eine Bank sinken, die am Rande der Gräberreihen inmitten von Heidekraut stand. »Obwohl die Aussicht nicht schlecht ist.« Sie deutete mit dem Kinn über den Fjord zu den Gipfeln des Sermitsiaq.

Jonathan saß neben ihr und schaute hinunter auf das glitzernde Wasser. Wieder spürte er Sharys fragenden Blick. Klar, sie wollte wissen, warum er die Alaska verlassen hatte. Doch sicherlich nicht, um seine Zeit in Nuuk auf dem Friedhof zu verbringen.

»Ja, nicht schlecht, die Aussicht«, sagte er vage. »Darf

ich mal?« Er nahm Sharys Surroundmütze, die zwischen ihnen auf der Bank lag, und setzte sie sich auf. Durch eine leichte Berührung der Stirnseite aktivierte er die Lautsprecher und in derselben Sekunde wurde er von einem überwältigenden Klang erfüllt. Von allen Seiten drang die Musik auf ihn ein. Es war, als würde sie direkt in seinem Kopf entstehen. *Don't you leave me alone* ... Ein sentimentaler, reichlich bombastischer Song. Geigen, die hemmungslos in Moll schwelgten und schluchzten, absolut nicht seine Musik. Sie überschwemmte ihn bis in die letzte Zelle seines Körpers. Wie absurd, hier auf dem Friedhof von Nuuk zu hocken und sich mit Musik zuzudröhnen, die er nicht mochte. Musik, die süß und klebrig war wie Honig.

Abrupt stand er auf und nahm die Mütze ab.

Nuuk, Grönland, Frühjahr 2011

Ingvars Vater Gunnar und mein Vater waren früher mal so etwas wie Geschäftspartner gewesen, ein paar Jahre nachdem ich nach Grönland gekommen war. Das war die Idee mit dem Reisebüro gewesen. Aber mein Vater hatte damals die Sache wohl im ewigen Eis versenkt, weil seine tollen Kontakte in Deutschland nichts als große Sprüche gewesen waren. Ingvars Vater hatte anscheinend eine Menge Geld verloren und war immer noch sauer auf ihn. Die Geschichte hätte mir eigentlich egal sein können, aber es nagte immer noch in mir, dass Ingvars Vater deshalb sein Versprechen nicht gehalten hatte. Das Versprechen, mich auf einen Hubschrauberflug zum Inlandeis mitzunehmen.

Aqqaluk und ich saßen bei Ingvar auf dem Sofa und durften uns die Fotos anschauen, die Ingvar mit dem Handy gemacht hatte, Fotos von seinem letzten Hubschrauberflug Richtung Norden.

»Nicht schlecht, oder?«, sagte er nun schon zum dritten Mal und hielt mir eins der Gletscherbilder unter die Nase.

»Tja«, sagte Aqqaluk. »Ich find's eigentlich schöner, mit dem Schlitten rauszufahren.«

»Dann mach das doch.« Ingvar lächelte überheblich, schob die Unterlippe vor und pustete sich seine dünne blonde Haarsträhne aus der Stirn.

»Mach ich auch, im Winter mal wieder.« Aqqaluk schien Ingvars dummes Getue nicht im Geringsten zu stören. Er hatte schon öfter mit einem seiner zahlreichen Verwandten von Ilulissat aus eine Tour mit dem Hundeschlitten gemacht. In dem Winter, als wir beide dreizehn wurden, hatte ich mitgedurft. Wir waren mit einem Frachtschiff mitgefahren, Aqqaluk, sein Onkel Ajako und ich, entlang der weißen Küste Richtung Norden, vorbei an Eisskulpturen, die uns auf dem Meer entgegenkamen und von denen einige so schön und seltsam waren, dass ich mir wünschte, sie würden niemals schmelzen, auch in hunderttausend Jahren nicht. Eine unheimliche Fahrt war das, auf der es immer kälter und dunkler wurde und das Schiff sich ächzend seinen Weg durch die Eisschollen brechen musste. Es war nicht sicher, ob es überhaupt bis Ilulissat durchkommen würde. Als wir jenseits des Polarkreises waren, nahm die Nacht überhaupt kein Ende mehr und ließ tagsüber nur ein geheimnisvolles Zwielicht zu, das das Eis zum Leuchten brachte. Aber unheimlicher noch war Ilulissat, in dem das Heulen der Schlittenhunde nur selten verstummte. Tausende von Polarhunden gab es dort, manche an Ketten angebunden, wild und wütend. Doch Ajakos Hunde, kleine stämmige Spitze, waren nicht angekettet, er hatte ein großes Gehege für sie gebaut, wo sie im Schnee lagen, zusammengerollt wie Katzen. Ajako hatte die Hunde ausgesucht und sie vor die Schlitten gespannt und Kirsten, Aqqaluks Tante, hatte uns Felle gebracht und uns wie die Babys in den Schlitten verpackt. Ajako und Kirsten stellten sich hinten auf die Schlitten, riefen »Go!«, die Hunde rannten los, als wären sie wahnsinnig geworden, und ich musste die Augen zukneifen, weil der Wind und die Kälte mir fast die Augäpfel verbrannten. Die Stunden, in denen wir unterwegs waren, verschmolzen zu einem unwirklichen Traum. Obwohl die Sonne nicht aufging, war es nicht dunkel, denn die vom Mondlicht beschienene Schneedecke um uns herum schuf ihre eigene Helligkeit.

Ein paarmal machten wir eine Pause, damit sich die Hunde ausruhen konnten, wir tranken heißen Tee und Aqqaluk und ich liefen durch einen Nebel aus Eiskristallen über den harten Schnee, einem Polarfuchs hinterher. »Ihr habt ihn verjagt«, sagte Ajako, »er hat das wärmste Fell, das die Natur für uns bereithält.« Aqqaluk hielt die Augen auf, um den Fuchs wiederzufinden, aber ich war froh, dass er in der weißen Landschaft nicht mehr zu sehen war und Ajako ihn nicht erschossen hatte. Ich schlief tief, als wir schließlich in einem Dorf anhielten, bei anderen Verwandten von Aqqaluk, in deren Haus wir die Nacht verbrachten, alle zusammen in einem Zimmer mit Robbenfellen auf dem Boden. Ich hörte den leisen Gesprächen der Erwachsenen zu, die sich darüber beklagten, dass das Jagen schwerer geworden war, weil sich die Eisbären zurückzogen und weil die Schneemobile auf dem Eis einsanken, *sila assallattoq*, sagten sie und ich wollte wissen, was das bedeutete. Doch Kirsten zog mir das Fell bis zum Kinn und schüttelte mich sanft an der Schulter. »Schlaf ein, Pakku.« Das Schnarchen der Männer vermischte sich mit dem Heulen der Hunde draußen und hielt mich lange wach. Durch das Fenster sah ich Millionen Sterne am Nachthimmel und noch im Einschlafen spürte ich das Gleiten des Schlittens und sah noch immer die unendliche Schneelandschaft, die sich von Horizont zu Horizont spannte. Das Letzte, was ich mit in den Schlaf nahm, war ein Lied, das eine der Frauen leise sang, *erniutinnguarput sinittunnguuniarit, aqagu anaanap pisuttuaqatigissavaatit …*

»Bis zum Gunnbjørnsfjeld bist du aber noch nie gekommen, oder? Da wärt ihr mit euren Hunden ja auch ziemlich lange unterwegs.« Ingvar! Er konnte es nicht lassen. Es reizte ihn, dass Aqqaluk sich von ihm nicht aus der Ruhe bringen ließ.

Aqqaluk zuckte nur mit den Schultern und nahm sich noch ein Bier. Aber ich schaffte es nicht, so gelassen zu sein. Ich stand so abrupt auf, dass ich fast den Couchtisch umgeworfen hätte.

»Hey, Aqqa«, sagte ich. »Wir sollten mal bei Anga im Studio vorbeischauen. Sie nehmen doch heute ihre neue CD auf.«

»Heute?«, fragte Aqqaluk und schaute mich erstaunt an, rappelte sich aber hoch und stolperte hinter mir her zur Tür. Als wir draußen waren, blies er die Backen auf. »Puh, warum bist du so ungemütlich, Pakku?«

»Weil mir Ingvar auf die Nerven geht.«

»Du bist neidisch.«

»Nein. Ja. Ich will auch mal mit dem Hubschrauber fliegen.«

»Klar. Das wollen alle. Aber bei uns im Block ist noch niemand mit Ingvar geflogen. So what?« Aqqaluk verschränkte die Arme vor der Brust, die Fäuste hoch unter die Achseln geschoben, und stapfte wie eine Maschine durch den Schnee in Richtung der Straße, wo sich das kleine Tonstudio befand, in dem Angas Gruppe manchmal Aufnahmen machte. Er schien ganz vergessen zu haben, dass ich das mit der neuen CD nur erfunden hatte, um von Ingvar wegzukommen. So war Aqqaluk, er nahm alles so, wie es kam, selbst eine Notlüge. Er merkte es nicht mal, wie verdammt ungerecht es war, dass jeder blöde Grönlandtourist Gletscherflüge machte und viele Leute aus Nuuk das niemals erleben würden. So viele Krabben konnte man gar nicht pulen, um das Geld dafür zusammenzukriegen.

»Sein Vater hat mir mal versprochen, dass er mich mitnimmt«, sagte ich.

»Dann freu dich doch«, antwortete Aqqaluk und schlug mir auf die Schulter. »Lass uns wieder umkehren«, sagte er. »Anga ist ja gar nicht da. Er ist nach Qaqortoq gefahren, um sich bei der Tourismusschule zu bewerben. Der Junge hat Hummeln im Hintern.« Aqqaluk lachte.

»Von mir aus.«

Zwanzig Minuten später saßen wir wieder bei Ingvar auf dem Sofa, tranken Bier und schauten uns einen Film an. Dieses Mal war es ein Horrorfilm, bei dem mehr Blut spritzte als bei einer Robbenjagd. Ich mochte keine Horrorfilme, genauso wenig, wie ich Ingvar mochte. Doch wo hätten wir sonst hingehen sollen? Den Film, der im Kino lief, hatten wir schon gesehen, bei Aqqaluk zu Hause war die Bude wie immer voll und bei uns saß mein betrunkener Vater in der Küche und wartete darauf, mit mir sein Imkergeschäft voranzutreiben.

Als ich nach Hause kam, war es fast Mitternacht. Ich schaltete trotzdem den Computer an. Aber Spider war nicht online. In Deutschland war es bereits vier Uhr morgens und er lag sicherlich längst in seinem Bett und schlief.

Nuuk, Grönland, Sommer 2020

Jonathan hatte die Bank, auf der Shary saß, hinter sich gelassen. »Ich schau mich mal um«, hatte er gesagt und war ein Feld entlanggegangen, auf dem sich schlichte weiße Holzkreuze aneinanderreihten. Er hatte die Namen und Daten überflogen und war weiter zu den wenigen Gräbern geschlendert, die in der traditionellen Art der Inuit mit Steinhaufen bedeckt waren. Danach kamen welche, auf denen Grabsteine standen, so wie es in Deutschland üblich war. Einige waren schon so alt, dass sie an Leute erinnerten, an die sich garantiert niemand mehr erinnerte. Die Inschriften waren kaum noch zu entziffern.

Jonathan wandte sich ab, um zu den Holzkreuzen zurückzugehen. Eigentlich waren sie ihm am sympathischsten. Sie verwitterten jedenfalls schnell und blieben kaum länger stehen, als die Zeit dauerte, in der die Menschen umeinander trauerten.

Doch plötzlich, mitten in der Bewegung, stockte er. Aus den Augenwinkeln hatte er etwas gelesen, das ihm den Atem raubte. Langsam drehte er sich zu dem Stein um, auf dem er die Worte gelesen hatte. Zwei Worte. Ein Name, den er so gut kannte wie keinen anderen. Mit wenigen Schritten war er bei dem Grabstein und starrte auf die Inschrift.

Pakkutaq Wildhausen
* 1994 † 2011

Jonathan fixierte die Buchstaben und Zahlen, aber sie verschwammen ihm hinter einem grauen Schleier. Die Erde bewegte sich, kam auf ihn zu. Er kniete auf dem struppigen Heidekraut nieder, um nicht zu stürzen. Pakkutaq Wildhausen. Gestorben 2011. Der allerletzte Zweifel, so aberwitzig und irrational er auch gewesen sein mochte, die völlig absurde Hoffnung darauf, dass alles nur ein Albtraum gewesen war, eine Wahnvorstellung, ein schlechter Trip, war zunichtegemacht. Pakkutaq Wildhausen hatte gelebt, siebzehn Jahre lang, er hatte Spuren hinterlassen, so wie den staubigen Stein hier. Jonathan berührte den kalten Granit mit den Fingerspitzen, tastete seine Oberfläche ab wie ein Blinder, und er begriff endgültig: An diesem Ort mitten in Nuuk, vor diesem Grab mit dieser Inschrift, gab es keine Selbsttäuschung mehr. Alles kluge Gerede darüber, dass Namen keine Bedeutung hatten, war eine Ausrede.

An dem Schatten, den das Mädchen über den Grabstein warf, erkannte Jonathan, dass Shary hinter ihm stand. Er hatte sie nicht kommen gehört, so versunken, wie er in seine Erinnerungen und Schuldgefühle gewesen war. Jetzt kniete sie neben ihm.

»Wer ist das?«, fragte sie leise. Ihre Stimme klang befangen.

»Pakku«, antwortete Jonathan.

»War er ein Freund von dir?«

Jonathan schluckte trocken. Er war sich nicht sicher, ob er auch nur ein einziges Wort herausbringen würde. Und so nickte er stumm.

»Er ist nur siebzehn Jahre alt geworden.«

»Ja.«

Shary kniete sich neben ihn und eine Weile war es still zwischen ihnen. Jonathan hörte die Möwen schreien, die über dem Fjord ihre Kreise zogen; er hörte den Wind rascheln in den Blättern der jungen Birken, die am Rande des Friedhofs standen. Ein Geräusch, das ihn verwirrte. Es passte nicht zu seinen Erinnerungen. In Nuuk hatte es keine Bäume gegeben, mit denen der Wind hätte spielen können.

»Und woran ist er gestorben?« Immer noch war Sharys Stimme voller Mitgefühl.

»Er ist ertrunken. Er wollte weg aus Nuuk, weg von Grönland, und weil er ein verdammter Idiot war, ist er dabei ertrunken.«

»Du bist nicht das erste Mal in Nuuk, nicht wahr?«

»Nein. Ich hab hier gelebt.«

»Aber du sprichst nicht gerne darüber ...«

»Ich bin hier nicht glücklich gewesen. Ich wollte diese Zeit einfach vergessen.«

»Hast du auch versucht, von hier wegzukommen, so wie dieser Junge hier, dein Freund?«

Jonathans Knie schmerzten von der ungewohnten Haltung, kleine Steine stachen ihm in die Haut, doch er blieb regungslos sitzen. »Dieser Junge hier und ich ... Wir hatten beide denselben Traum«, antwortete er. »Wir wollten etwas erleben und die Welt kennenlernen und es war einfach nur Zufall, dass ich es geschafft habe und nicht er. Es hätte auch anders kommen können, ganz anders.«

Plötzlich konnte Jonathan den Anblick des Grabsteins nicht mehr ertragen. Die Panik, der er sich in der Kabine der Alaska ausgeliefert gefühlt hatte, packte ihn erneut. Doch jetzt war es nicht die Angst zu ersticken, sondern das Gefühl auseinanderzudriften, zerrissen zu werden oder zerschmettert, in tausend Mosaiksteine zu zerspringen, die sich nicht mehr zusammensetzen ließen. Er ballte die Fäuste, presste sie auf die Oberschenkel und starrte auf den Fjord, der von weißen Dreiecken übersät war, die er nicht als Segel erkannte.

»Armer Pakkutaq«, hörte er Shary sagen und Tränen stiegen in ihm auf. Die Anstrengung, die es ihn kostete, nicht hemmungslos zu weinen, half ihm, die Panik zu bändigen.

»Das ist alles lange her«, sagte er und stand auf. Den Blick immer noch auf den Boden gerichtet, bückte er sich und hob einen der Kiesel auf, die vor dem Grab im Heidekraut lagen, und schob ihn sich in die Tasche. »Lass uns gehen.«

Als sie weitergingen und den Friedhof hinter sich ließen, nahm Shary wie selbstverständlich Jonathans Hand. Jonathan spürte ihr Mitgefühl und er konnte es kaum ertragen, weil er es nicht verdient hatte. Wie hatte er es fertiggebracht, seinen Vater so viele Jahre glauben zu lassen, dass er seinen Sohn auf dem Friedhof von Nuuk begraben hatte? All die Zeit hatte er so viel Angst gehabt, die Wahrheit zu sagen, Angst um sich selbst und sein falsches neues Leben.

Es gibt kein richtiges Leben im falschen. Er hörte diesen Satz so deutlich, dass er im ersten Moment glaubte, Shary hätte ihn ausgesprochen. Er rieb sich mit dem Handrücken über die Augen, um den Schleier loszuwerden, der ihm die Sicht auf die Stadt und den Fjord verwischte. Nein, es gab keinen anderen Weg. Es war gut, dass er hier war. Er musste wieder zu Pakkutaq Wildhausen werden, er musste seinem Vater die Wahrheit sagen. Er musste die richtigen Worte dafür finden und die Konsequenzen tragen. Er hatte gar keine Wahl.

Nuuk, Grönland, Frühjahr 2011

Ich stand unter der Dusche und schrubbte mir den Krabbengeruch aus den Poren. In einer halben Stunde war ich mit Maalia am Bootsschuppen verabredet, sie hatte mich nach der Arbeit angesprochen. »Warum bist du weggelaufen, neulich Abend?«, hatte sie mich gefragt, »ich möchte dich ein bisschen besser kennenlernen, Pakkutaq.« Und dann hatte sie mir die Haare zurückgestrichen, mit den Lippen mein Ohr gekitzelt und mir Ort und Uhrzeit zugeflüstert.

Ich versuchte mir vorzustellen, wie auch Maalia gerade duschte, sich die langen, schwarzen Haare mit Shampoo einseifte, die Brüste, den ganzen Körper, aber es ging nicht. Totaler Bildausfall. Nicht einmal in Gedanken schaffte ich es, sie auszuziehen. Ich ließ mir das heiße Wasser in den Nacken prasseln, seifte meinen Schwanz ein und fühlte mich mies. Es ging nicht, es hatte keinen Sinn, sich mit Maalia zu treffen, und ich wusste nicht, ob es an Maalia lag, an Grönland oder einfach nur an mir. Ich hatte überhaupt keine Lust, mich mit irgendeinem Mädchen zu treffen. Ich wollte meinen alten, ausgeleierten Trainingsanzug anziehen, mir ein paar Brote schmieren und mich mit einer Flasche Bier vor den Computer setzen. Ich wusste, dass das falsch war. Aber ich tat es trotzdem. Ich ließ Maalia dort draußen am Fjord warten, im Windschatten des Bootshauses. Ich versuchte nicht einmal, ihre Handynummer rauszukriegen, obwohl ich wusste, dass Aqqaluk die Nummer von Signe hatte, die ihm Maalias Nummer hätte geben können. Ich war nicht nur ein Versager, sondern auch ein Feigling.

schön, dass du da bist
ebenfalls
hab dich gestern richtig vermisst ☺
war im kino
was gab's?
spiderman
ehrlich?
nein, einen horrorfilm, kennst du bestimmt nicht
bestimmt nicht. wie alt bist du?
siebzehn

Plötzlich erschien es mir unwichtig, Spider etwas vorzutäuschen. Warum sollte er nicht wissen, wie alt ich war? Warum hatte ich eigentlich seit Wochen vermieden, ihn näher an mich ranzulassen? Er konnte mir ja nicht zu nahe kommen. Er war mehrere Tausend Kilometer von mir entfernt, getrennt durch ein ziemlich kaltes Meer, und das war das Einzige, was ich ihn nicht wissen lassen wollte. Ich hatte merkwürdigerweise Angst, dass er mich dann fallen lassen würde.

und du?
älter
dachte ich mir. ist ja auch ein opaspiel
warum spielst du es dann?

weiß nicht. ist so schön langweilig

langweilst du dich gern?

ist das einzige, was ich gut kann ☺

kann ich auch gut

dann würfel mal endlich

wusstest du, dass man im grab von tutenchamun ein bg-spiel gefunden hat?

nee

es ist eins der ältesten spiele der welt. über 5000 jahre alt

aha

Was war denn mit Spider los? Kaum hatte er herausgekriegt, wie alt ich war, fing er an, mit Wissen um sich zu werfen. War er vielleicht ein Lehrer oder so was? Ich hatte es ja gewusst. Je mehr man sich auf die Wirklichkeit einließ, umso langweiliger wurde sie. Ich ging zum Bett hinüber und warf mich auf die zerknüllte Decke. Wie dämlich von mir, Maalia hängen zu lassen und stattdessen meine Zeit mit einem Oberlehrer zu verquatschen. Maalia. Wenn ich mich auf sie einließ, wurde es mit Sicherheit nicht langweilig. Warum tat ich es nicht, verdammt noch mal? Ich drehte mich auf den Bauch, presste das Gesicht ins Kissen und versuchte, den Gedanken aus meinem Kopf zu kriegen, der sich dort festgebissen hatte. Den Gedanken, dass ich nichts von ihr wollte, weil sie eine Inuit war, weil sie aussah wie ich und wie die meisten Menschen hier und so, wie auch meine Mutter ausgesehen haben musste. Sie sah doch klasse aus, sie war wirklich schön, viel schöner als Ingvars Schwester Jule und all die anderen dänischen Mädchen, die ich kannte. Was wollte ich denn?

Ich holte mein Handy aus der Jackentasche, rief Aqqaluk an und versuchte, Maalias Nummer zu bekommen. Aber Aqqaluk hatte Signes Nummer gelöscht, weil er sie schon vor Wochen abgehakt hatte, und als ich ihm erzählte, dass ich Maalia versetzt hatte, lachte er nur. »Mach dir keinen Kopf, Alter«, sagte er. »Kann nicht schaden, wenn du sie etwas zappeln lässt. Die läuft dir schon nicht weg.«

Ich schaltete das Handy aus, bevor Aqqaluk wieder einen DVD-Abend bei Ingvar vorschlagen konnte, und lachte höhnisch auf. Aqqaluk hatte recht. Hier lief niemand weg, keine Chance. Von hier konnte niemand entkommen, es sei denn, er hatte genug Geld für ein Flugzeugticket.

Nuuk, Grönland, Sommer 2020

Sharys Bed & Breakfast war in einem Häuschen untergebracht, das nicht viel größer war als das Haus am Rasmussenvej. Es war nur nicht ganz so schäbig. Trotzdem verspürte Jonathan nicht die geringste Lust, die Pension zu betreten. Er lehnte sich mit verschränkten Armen gegen die dottergelb gestrichene Holzwand.

»Wartest du auf mich?«, fragte Shary. »Ich bring nur meinen Rucksack rein und fülle den Anmeldezettel aus.« Sie zögerte kurz. »Oder hast du was Bestimmtes vor?«

»Nein«, antwortete Jonathan.

»Sicher?«

»Ja.«

»Wir könnten einfach noch mal durch die Stadt bummeln, wenn du magst.«

»Klar.«

»Oder weißt du was Besseres?«

»Nein.«

»Okay.« Shary rollte mit den Augen und Jonathan musste grinsen. Erstaunlich, dass sie sich überhaupt auf so einen maulfaulen Typen wie ihn einließ. Was wollte sie eigentlich von ihm? Er sah ihr nach, wie sie mit dem Rucksack auf dem Rücken ins Haus humpelte. Er mochte sie, so unkompliziert und offen, wie sie war. Sie brachte ihn zum Lachen, und das war das Beste, was ihm im Moment passieren konnte. Vielleicht sollte er sie einfach mitnehmen, wenn er zu seinem Vater ging? Vielleicht würde die Situation dann nicht so schrecklich dramatisch wirken. Hallo, ich bin's. Und das ist Shary. Ich hab sie bei der Überfahrt kennengelernt ... Oh, hallo, kommt doch rein. Es ist allerdings nicht aufgeräumt ... Ja, diese ganze verdammte Verlorene-Sohn-Geschichte wäre besser zu ertragen, wenn er seinem Vater nicht allein gegenüberstehen musste.

Als sie Richtung Stadt zurückgingen, hob Jonathan immer wieder lauernd den Blick. Jeden Moment konnte ihn jemand erkennen, ihn ansprechen. Sah er dem Jungen von damals noch ähnlich? Hatte er sich verändert, so wie Nuuk, das er kaum wiedererkannte? Er wusste es nicht. Er schaute in die Gesichter der Menschen, die ihnen entgegenkamen, und es schien ihm, als ob sich ihre Mienen, ihr Auftreten, ja selbst ihre Art zu gehen verändert hatten. Vielleicht lag es daran, dass es in Nuuk voller und lauter geworden war und dass mehr Eile herrschte. Aber vielleicht lag es auch an seinem eigenen veränderten Blick, dem Blick eines Erwachsenen, der anders ist als der eines Jugendlichen.

Shary hakte sich wieder bei ihm ein. Sie wollte zum Hafen hinunter, um dort an einer der Buden ein Lachsbrötchen zu kaufen. Und auch Jonathan merkte plötzlich, wie hungrig er war. Außer den Schokoladenkeksen hatte er den ganzen Tag noch nichts gegessen.

Der Hafenmeile war anzusehen, dass sie erst vor Kurzem angelegt worden war. Es gab einen gläsernen Pavillon mit Bistrotischchen, zwischen denen gut gekleidete Kellner herumflitzten, ein neues Touristenbüro und diverse Andenkenläden. Aber Jonathan entdeckte auch ein paar einfache Fischbuden und Würstchenstände, wie es sie früher gegeben hatte. Er bekam plötzlich Heißhunger auf eins der roten Pølser mit Röstzwiebeln und Remoulade, die an einer der Buden verkauft wurden. Eine Ewigkeit hatte er die nicht mehr gegessen.

Ole's oldfashioned Hotdog's, rote Buchstaben auf weißem Blech, mit falschem Apostroph. Plötzlich schaute Jonathan genauer hin. Verdammt, den Typen, der da im fettigen T-Shirt hinter dem Tresen stand, den kannte er, auch wenn er jetzt neun Jahre älter und mindestens doppelt so viele Kilo schwerer war. Das war Ole Olsen. Instinktiv drehte sich Jonathan zur Seite, damit der Mann ihn nicht sehen konnte. Eine Reaktion, die überflüssig war, denn Ole war damit beschäftigt, dünne Gurkenscheibchen auf ein Würstchen zu drapieren, und selbst seinen konzentrierten Gesichtsausdruck erkannte Jonathan wieder. In diesem völlig unwichtigen Moment schloss sich für ihn der Kreis. Er hatte das Nuuk von damals wiedergefunden.

Ohne darüber nachzudenken, was er tat, ging er zu der Bude hinüber und klopfte auf die Theke. »Ich nehme ein Bier«, sagte er auf Grönländisch und schaute dem Mann hinter der Verkaufstheke offen ins Gesicht. Seit er mit Shary auf dem Schiff die ersten Sätze gewechselt hatte, hatte er kein Kalaallisut mehr gesprochen, und wieder hatte er wie selbstverständlich die richtigen Wörter gefunden.

»Import oder einheimisch?«, fragte der Mann zurück.

»Einheimisch.«

Den Blick unverwandt auf Oles Gesicht mit den wässerigen blauen Augen eines alten Mannes gerichtet, nahm er die Flasche Bier in Empfang, legte das Geld auf die Theke, grüßte kurz und ging neben Shary weiter die Hafenmeile entlang. Im Gehen trank er sein Bier, immer in der Erwartung, dass Ole ihn zurückrufen würde. Doch nichts geschah, Sekunde für Sekunde verstrich, Meter für Meter, und sie liefen unbehelligt an den Landungsbrücken vorbei, von wo die Schiffe nach Kanada ablegten. Auf einem der Schilder stand als Zielhafen New York und jemand hatte den Namen mit einem schwarzen Plastikband überklebt, so provisorisch, als ginge er davon aus, dass die Reederei jederzeit diese Route wieder anbieten würde. Jonathan lächelte bitter. New York war gestrichen.

Nachdem sich Shary ihr Fischbrötchen gekauft hatte, setzten sie sich auf eine Bank. Shary lehnte sich mit dem Rücken an Jonathan, um ihr Bein seitlich auf der Bank ablegen zu können. Ihre Haare kitzelten seine Wange und er roch den Duft ihres Shampoos. Vom Meer her wehte eine kühle, salzige Brise und die Sonne schien von einem wolkenlosen Himmel, der so intensiv blau war, als hätte ihn jemand nachcoloriert. Auf einmal fühlte er sich schwer wie nach einem zu langen Dauerlauf. Der Besuch auf dem Friedhof und selbst die flüchtige Begegnung mit Ole hatten ihn erschöpft. Wenn er sich jetzt nicht aufraffte, um den Rasmussenvej zu suchen, würde er heute bestimmt nicht mehr die Kraft dafür aufbringen.

»Hör mal«, sagte er. »Ich wollte eigentlich jemanden besuchen. Deswegen bin ich hier, in Nuuk.«

»Okay …« Shary wartete ab, ob er weitersprechen würde.

»Ich hab ihn lange nicht gesehen. Ich weiß nicht einmal, ob er noch dort lebt, wo er früher wohnte.«

»Geh ruhig. Ich bleib hier einfach noch etwas sitzen. Ich finde schon alleine zurück.«

»Du kannst gerne mitkommen … wenn du willst.«

»Wer ist es denn? Ein Freund von dir?«

Jonathan schüttelte den Kopf, obwohl Shary ihn nicht sehen konnte. »Nein«, sagte er und sah einer Mücke zu, die sich auf seinen Handrücken setzte und zustach. »Ein Verwandter.« Er biss sich auf die Lippen. Oh Mann, wie schwer das war. Jedes einzelne Mosaiksteinchen seiner Geschichte wog eine Tonne. Mühsam riss er sich zusammen. »Genauer gesagt, mein Vater.«

Eine halbe Minute war es still, bevor Shary etwas erwiderte. »Du bist abgehauen, nicht wahr? Zusammen mit diesem Pakkutaq, der ertrunken ist?«

Jonathan antwortete nicht. Was sollte er auch sagen? Wie sollte er die richtigen Worte finden für das, was er noch niemals ausgesprochen hatte? Was er neun Jahre lang in die hinterste Ecke seines Gedächtnisses geschoben hatte, um es zu vergessen, für immer und ewig.

Shary setzte sich aufrecht hin und schaute aufs Wasser, wo die Fährschiffe am Kai lagen. »Du brauchst nicht drüber zu reden«, sagte sie. »Aber wenn du es ernst gemeint hast, komme ich mit.«

»Also gut, dann gehen wir los.« Jonathan stand auf. »Er wird mir schon nicht den Kopf abreißen, der Alte.« Er versuchte zu lachen, doch es gelang ihm nicht.

Nuuk, Grönland, Frühjahr 2011

Ich wollte mich bei Maalia entschuldigen, weil ich sie versetzt hatte. Aber es war gar nicht so einfach, an sie ranzukommen. Als ich den Krabbenschuppen betrat, saß sie schon zwischen Signe und einer älteren Frau am Fließband, und ich hockte mich wie immer zu Aqqaluk und seinem Bruder. In der Mittagspause ging ich mit den beiden zum Fjord, damit uns der Wind den Fischgeruch aus der Nase pusten konnte. Ich verteilte die abgelaufenen Fleischbällchen, die ich von zu Hause mitgebracht hatte, und Aqqaluk reichte seine Bierflasche rum. Maalia und Signe saßen ein paar Meter weiter auf einem Felsen, aber sie kicherten und lachten so albern, dass mich keine zehn Schlittenhunde zu ihnen hätten ziehen können. Maalia schien es mir nicht übel genommen zu haben, dass ich sie versetzt hatte, aber ich wollte es trotzdem wieder gutmachen. Ich wollte ihr noch eine Chance geben. Nein, mir wollte ich eine Chance geben, wenn ich ehrlich war. Ich musste versuchen, sie direkt nach Feierabend zu erwischen, bevor sie zusammen mit Signe zu den Blocks verschwinden konnte.

Doch als Sven kam und die Krabben auswog und unseren Ertrag in sein fleckiges Notizbuch eintrug, klappte es wieder nicht. Sven gab mir zu verstehen, dass er noch etwas mit mir besprechen wollte. Dreck! Hatte er mitbekommen, dass ich am Morgen wieder mal zu spät gekommen war? Es konnte doch höchstens eine Viertelstunde gewesen sein.

Sven bot mir eine Zigarette an, die ich aber dankend ablehnte. Ich rauchte nicht viel, und mit Fischfingern erst recht nicht.

»Hör zu«, sagte er. »Ich hab schon ein paar Kilo abgepackt. Aber heute musst du sie mal zum Schiff bringen. Ich hab noch ein Geschäftsessen.« Er deutete mit dem Kinn in Richtung des Anlegers, wo die Alaska lag. Es war ein richtiges Ereignis, dieses schwimmende Luxushotel, denn es fuhr die Grönlandroute zum ersten Mal. Halb Nuuk war schon im Hafen gewesen, um sich das Ding anzuschauen. Mein Blick blieb einen Moment an dem strahlend weißen Kasten hängen, dann wanderte er weiter, Maalia und Signe hinterher, die Arm in Arm in Richtung ihres Wohnblocks aufbrachen.

»Kann Anga das nicht machen?«, fragte ich.

Sven runzelte seine gerötete Stirn. Sowie sich die Sonne wieder in Grönland blicken ließ, fing er sich auf seiner von blonden Löckchen umrandeten Halbglatze einen Sonnenbrand ein.

»Ich hab dich gefragt und nicht Anga. Klar?«

»Aber ich …«

Jetzt zog Sven die Augenbrauen zusammen, sodass ich den Rest meines Satzes hinunterschluckte.

»Okay, okay. Ich mach's ja.« Ich nahm die Styroporkiste vom Boden und ließ mir von Sven die Rechnung in die Jackentasche schieben.

»Du meldest dich beim Küchenmanager, er heißt Grönemeyer. Seine Handynummer steht oben auf der Rechnung. Ruf ihn an, dann kommt er an die Gangway. Und frag ihn, wie viel Kilo er noch braucht, solange sie hier sind, und ob er auch Garnelen haben will. Das Geld bringst du anschließend sofort zu mir nach Hause. Klar?«

»Ich dachte, du bist bei einem Geschäftsessen?«

»Quatsch nicht so oberschlau. Tu einfach, was ich sage.« Jetzt sah Sven richtig wütend aus und sein rosafarbenes Gesicht wurde noch eine Spur röter. Fast als wäre ihm die Sache peinlich.

Plötzlich kapierte ich, was los war. Sven schickte mich vor, weil auf dem Schiff niemand Dänisch sprach. Sein Englisch war hundsmiserabel, ich hatte ihn schon öfter radebrechen gehört. Und Deutsch konnte er natürlich erst recht nicht. Aber weil er nicht riskieren wollte, dass das Geschäft mit dem Luxusdampfer womöglich schieflief, weil er alles missverstand, schickte er mich unter einem falschen Vorwand los. Sven Kristiansen gab nie zu, dass er irgendetwas nicht konnte, schon gar nicht, wenn er es mit jemandem zu tun hatte, der ein halber Inuit war und aussah wie ein ganzer.

Ich nickte ihm zu, drückte mir die schwere Kiste an den Bauch und wollte losgehen. Doch Sven hielt mich noch mal zurück. »Geh zu Hause vorbei, wasch dir die Hände und zieh dir eine saubere Jacke an. Aber trödel ja nicht herum, Pakku. Und du sprichst nur mit Grönemeyer, mit sonst niemandem. Kapiert?« Svens Stimme bekam diesen eindringlichen Tonfall, der einem ohne Worte klarmachen sollte, dass die Sache unter der Hand ablief. Klar, dieser Küchenmanager steckte sich das Geld, das er sparte, weil er nicht über den offiziellen Weg einkaufte, in die eigene Tasche.

»Kapiert.«

Mein Vater war zu Hause, als ich mit meiner Kiste auftauchte und sie in der Küche abstellte, um mir die Hände und das Gesicht zu waschen. Ich hatte mich noch nicht abgetrocknet, da hatte er die Kiste auch schon aufgemacht und sich einen ordentlichen Haufen Krabben in eine Plastikschüssel abgefüllt.

»Spinnst du?« Ich schüttete die Krabben zurück und drückte den Deckel wieder auf die Kiste. »Die wiegen das doch nach.«

»Ich dachte, das wäre für uns.« Mein Vater verzog schmollend das Gesicht.

»Glaubst du, ich bringe fünfundzwanzig Kilo Krabben zum Abendbrot mit? Die sind für die Touris bestimmt.«

Ich verschwand in meinem Zimmer, um mir ein sauberes Hemd anzuziehen, ließ aber die Tür auf, um einen Blick in die Küche werfen zu können. Ich traute ihm zu, dass er sich doch noch heimlich bediente. Frische Krabben waren teuer. Er brachte manchmal nur die abgepackten von Brugsen mit.

Als ich mich fünf Minuten später mit meiner Kiste auf den Weg zum Hafen machte, stand mir nach ein paar Minuten der Schweiß auf der Stirn. Eigentlich hätte er sich ruhig zwei, drei Kilo von dem Zeug abfüllen können, dann hätte ich nicht ganz so viel schleppen müssen. Aber wenn Sven davon Wind bekam, war ich meinen Job los, mit Sicherheit.

Der Himmel war klar an diesem Abend und ich konnte

das hell erleuchtete Schiff schon von Weitem erkennen. Großartig sah es aus, wie es da unter dem grönländischen Sternenhimmel lag, und ich stellte mir vor, wie die Menschen jetzt in den eleganten Speisesälen saßen und zu leise klimpernder Klaviermusik ihr Dinner einnahmen. Über tausend Menschen waren da versammelt, hatte Sven gesagt. Ich wurde ganz kribbelig bei dem Gedanken, einfach auf das Schiff zu gehen und mich unter die Leute zu mischen. Mister Pakkutaq Wildhausen, dürfen wir Sie beim Captain's Dinner im Blauen Salon erwarten? Aber Sven hatte mir erzählt, dass diese Luxusschiffe aus Angst vor Terroranschlägen abgeschirmt wurden wie ein Hochsicherheitsgefängnis. Keine Chance, ohne Bordkarte auch nur einen Fuß an Deck zu setzen. Deshalb würden mir meine Krabben ja auch an Land abgenommen werden.

Die Wand der Alaska ragte aus dem dunklen Wasser des Fjords auf, weiß, kühl und abweisend wie ein Gletscher. Das Schiff war so riesig, dass ich sicher noch eine Minute brauchte bis zur Gangway, die die Zulieferer nehmen mussten, aber ich wollte rechtzeitig Bescheid geben. Neben Oles Hotdog-Wagen setzte ich mich auf meine Kiste und zog den Zettel mit der Handynummer des Küchenchefs hervor. Ich tippte die Nummer und stellte mich auf ein kurzes Gespräch ein, bei dem ich eigentlich nur mitzuteilen brauchte, dass ich gleich an der Gangway sein würde. Doch es kam anders.

»Hallo, hier ist Pakku. Ich bringe die Krabben.«

Einen Moment lang war es still am anderen Ende. Dann hörte ich eine Stimme, die quasi eine Schleimspur durch mein Handy zog. »Aaah jaaaa, Royal Greenland, jaaaa, wunderbar.«

»Nein, die Krabben von Sven.«

»Wieeee? Tiefgefroren diesmal?«

»Die sind nicht tiefgefroren. Kommen Sie herunter?«

»Ja, das mit der Rechnung läuft wie immer. Da brauchen Sie sich nicht drum zu kümmern.«

Irgendetwas stimmte hier nicht. Der Typ redete einfach an mir vorbei. Konnte er mich nicht richtig verstehen? »Aber ich soll Bargeld mitbringen«, sagte ich ein wenig lauter.

»Nein, nein, das regeln wir schon.« Die Stimme dieses Herrn Grönemeyer hatte einen mindestens so eindringlichen Ton angenommen wie Svens, wenn er über seine krummen Geschäfte sprach. Was sollte die Geheimniskrämerei? Ich wusste doch, was da lief. Wieder war es einen zu langen Moment still, dann hörte ich, wie er tief Luft holte. »Wie bitte?«, rief er plötzlich empört. »Die sind nicht von heute? Ich hatte fangfrische bestellt! Das können Sie gleich alles wieder mitnehmen!« Die aufgeregte Stimme überschlug sich jetzt fast. »Verschwinden Sie mit Ihrem Zeug, sofort! Haben Sie verstanden? Sofort!« Jetzt schien er das Handy abzudecken, ich konnte nur noch undeutlich hören, dass er mit jemandem sprach, der laut auf ihn einredete, und dann brach das Gespräch ab.

Auf einmal begriff ich, was los war. Der Mann steckte in Schwierigkeiten. Irgendjemand stand neben ihm, der nichts von dem Deal wissen sollte, wahrscheinlich sein Chef. Ich sah zur Gangway, und da konnte ich auch schon drei Männer erkennen. Sie schauten unschlüssig den Pier entlang und schienen mich und meine Kiste noch nicht entdeckt zu haben. Am Kai waren etliche Leute unterwegs, vor allem Einheimische, die sich das Schiff ansahen, aber auch ein paar Touristen, die wohl nicht an Bord zu Abend essen wollten. Vielleicht um Oles unvergleichlich labberige Hotdogs zu probieren.

Ohne nachzudenken, stand ich auf und schob die Kiste unter den Hotdog-Wagen, drehte mich zu Ole um und bestellte mir einen Pølser, was auf seinem breiten Gesicht ein ungläubiges Staunen zauberte. Kaum jemand aus Nuuk aß Oles Würstchen, wir wussten ja, wie alt die waren. Nur die Touristen waren so blöd. Wenn so ein Riesenpott für ein paar Tage in Nuuk lag, verdiente Ole mehr als sonst in zwei Monaten.

Während ich auf mein Würstchen wartete, schaute ich unauffällig zur Alaska hinüber. Die drei Männer standen immer noch oben an der Gangway und sahen sich nach dem Krabbenlieferanten um. Ich war zu weit weg, um ihre Gesichter erkennen zu können. Aber der eine fuchtelte so aufgeregt mit den Händen herum, während die anderen beiden auf ihn einquatschten, dass das eigentlich nur der arme Herr Grönemeyer sein konnte.

Ole schob mir das hummerrote Würstchen auf einem Pappteller zu, ich bezahlte und lief in Richtung der Gangway. Ich wollte sehen, wie er aussah, dieser Typ, der da gerade gewaltig in Schwierigkeiten steckte. Endlich passierte hier mal was! Ich war so nervös, dass ich sogar Oles Mörderpølser aufaß, ohne es zu merken. Als ich auf Höhe der drei Männer war, blieb ich stehen. Ich schaute dem Mann direkt ins Gesicht, es war ein älterer, dicklicher Typ und ich konnte seine Angst und seine Aufregung förmlich riechen. Wahrscheinlich war er seinen Job los, wenn die Sache aufflog. Ich kannte diesen Gesichtsausdruck, eine Mischung aus Furcht und Trotz. Mein Vater machte so eine Miene, wenn er morgens zu Brugsen marschierte und wusste, dass dort Revision war. Auch in mir kroch plötzlich eine leichte Panik hoch beim Anblick der beiden Kontrolleure, die ziemlich sauer zu sein schienen. Ich zwang mich, ruhig weiterzugehen. Doch als ich mich noch einmal umdrehte, fing ich einen Blick des Mannes auf, und ich war mir plötzlich sicher, dass er mich erkannte. Hatte Sven ihm eine Beschreibung von mir gegeben? Einen Tick zu hastig schaute er in die andere Richtung und ich ging mit klopfendem Herzen die ganze Länge des Schiffes entlang, ohne noch einmal anzuhalten.

Am Anfang des Kais standen ein paar Jungs, die ich von der Schule kannte. Ich stellte mich zu ihnen, schnorrte eine Zigarette, um was zu tun zu haben, und schlenderte gemächlich wieder Richtung Gangway zurück. Von den drei Männern war nichts mehr zu sehen.

Ich ging zum Hotdog-Wagen und zog die Styroporkiste hervor. Ole hatte gar nicht gemerkt, dass ich sie unter ihm geparkt hatte.

»Hey, Pakku. Du schon wieder? Willst du noch eine?« Ole grinste mich freundlich an.

»Danke, eine reicht«, antwortete ich, stemmte die Kiste hoch und zog damit ab. Erst als ich an der Straße war, kam mir die Frage, wohin ich mit dem Zeug sollte. Wieder nach Hause oder zu Sven? Ich entschied mich für Sven.

Doch den langen Weg zu seinem Haus am anderen Ende von Nuuk hätte ich mir sparen können. Als ich schweißgebadet dort ankam, meine Kiste vor der Haustür abstellte und Sven von der Geschichte erzählte, fauchte der mich nur wütend an.

»Warum bringst du mir das? Glaubst du, ich will mit dem Zeug hier zu Hause erwischt werden, falls der Mann nicht dichthält?«

»Und was soll ich jetzt machen?«

»Schmeiß das Ding in den Fjord. Und halt ja die Klappe, verstehst du?«

»Klar.«

Ich rieb mir die schmerzenden Finger, hievte die fünfundzwanzig Kilo wieder vor den Bauch und stapfte los. Aber ich ging nicht zum Fjord, sondern schlug den Weg nach Hause ein. Ich konnte die Kiste genauso gut noch ein paar Tage bei uns auf der Veranda stehen lassen. Die Temperaturen scherten sich einen Dreck um den Klimawandel und lagen deutlich unter null, sodass die Krabben eine ganze Weile frisch blieben. Mein Vater würde sich freuen, die nächsten Tage Krabbenomelett zu essen. Und den Rest verscherbelte er mit Sicherheit an seine Kumpels. Warum auch nicht? Vielleicht hatte ich ja dadurch für ein paar Tage Ruhe vor seinen Honigträumen. Und wenn ich Glück hatte, vergaß er sie ganz vor lauter Krabben.

Nuuk, Grönland, Sommer 2020

Jonathan hatte sich im Tourismusbüro am Hafen den Weg zum Haus seines Vaters beschreiben lassen und es dauerte keine zwanzig Minuten, dann hatte er den Rasmussenvej gefunden – zumindest das, was von ihm noch übrig geblieben war: das Straßenschild. Doch die Straße, in der er acht Jahre seines Lebens gewohnt hatte, suchte er vergeblich. Es gab sie nicht mehr. Dort, wo sich in seiner Kindheit der Weg mit den bunten Holzhäusern den Hügel hinaufgezogen hatte, befand sich jetzt eine Baustelle. Schief und verloren hing das Schild mit dem Namen Rasmussenvej am Rand eines gewaltigen Kahlschlags, der das felsige Land aufgerissen hatte. Ein Bagger hatte die roten, blauen und gelben Holzteile zu einem Haufen zusammengeschoben, wie die bunten Reste der Papierschlangen am Ende einer Geburtstagsparty. Auf einem Aushang am Bauzaun konnte man die modernen zweigeschossigen Apartmenthäuser begutachten, die hier demnächst entstehen sollten, alle mit Sauna und Solarium für den Winter. Jonathan starrte auf das Plakat und las gewissenhaft alle Einzelheiten, ohne sie zu verstehen. Er bekam gar nicht mit, dass Shary zu einem Felsbrocken humpelte, um sich hinzusetzen.

»Die sind fast alle weg! Schon seit Wochen.« Die Stimme einer fremden Frau. Sie hatte ihn auf Kalaallitsut angesprochen.

Wie ertappt zuckte Jonathan zusammen. Ein einsitziges Daylightmobil hatte ein paar Meter von ihm entfernt geparkt und eine junge Grönländerin war ausgestiegen.

Er ging zu ihr hinüber. »Seit Wochen? Wissen Sie, wo die hin sind?«, fragte er.

Sie sah ihn irritiert an, dann lächelte sie. »Ich meinte die Apartments«, sagte sie, wobei sie zu Dänisch übergegangen war, weil sie wohl seine ungeschliffene Sprache bemerkt hatte. »Sie müssten sich schnell entscheiden, falls Sie sich dafür interessieren.« Sie schaute zu Shary hinüber und lächelte wieder. »Die Wohnungen sind ideal für junge Familien.«

Jonathan schien ihre Bemerkung nicht gehört zu haben. Er ließ den Blick über die Baustelle schweifen. »Die Bewohner, die Leute, die hier vorher gewohnt haben, wo sind die hingezogen?«

»Ich bin die Architektin. Ich habe keine Ahnung, wer hier mal gewohnt hat.« Sie zuckte die Schultern. »Ich weiß nur, dass es einige Proteste gegeben hat.«

»Was für Proteste?«

»Von der Traditionsbewegung. Sie wollten die Siedlung erhalten. Typisch grönländische Bebauung, verstehen Sie?« Jetzt lachte sie offen und ohne Bosheit. »Ich meine, das waren hier schließlich nur ein paar unscheinbare Häuser und keine Iglus, nicht wahr?«

»Nein, sicher nicht.«

»Also, wenn Sie Interesse haben ...« Sie wollte ihre Aktenmappe öffnen, doch Jonathan schüttelte den Kopf.

»Danke, eher nicht. Auf Wiedersehen.« Er nickte ihr zu

und ließ sie stehen. Er ging zu Shary hinüber, die das Gespräch neugierig verfolgt hatte.

Während sie in ihren Wagen stieg, drehte sich die Architektin noch einmal zu ihnen um. »Warten Sie! Wenn Sie jemanden suchen, der hier gelebt hat, sollten Sie im Büro der Traditionsbewegung nachfragen. Vielleicht wissen die etwas. Es liegt direkt gegenüber der Erlöserkirche. Sie können es nicht übersehen.«

Jonathan und Shary sahen der Frau nach, bis sie in ihrem eleganten Einsitzer von der Baustelle rollte.

»Bist du sehr enttäuscht?«, fragte Shary.

Jonathan zuckte die Schultern. »Weiß nicht …«

Shary kickte mit der Krücke einen Kieselstein weg und ließ ihn in die Baugrube rollen. »Und jetzt? Willst du zu diesem Traditionsverein?«

Jonathan schaute auf seine Uhr. Es war erst vier Uhr nachmittags, aber er wusste, dass er für heute genug hatte. Er wollte nur noch ins Hotel. Vorher ein paar Sandwiches und eine Flasche Bier kaufen und dann einfach nichts mehr hören und sehen von Grönland. Es lagen noch zwölf lange Tage vor ihm, bis die Alaska wieder in Nuuk anlegte. Zwölf Tage, in denen die Sonne selbst nachts nur für kurze Zeit untergehen würde, das Einzige, was sich kein Jota geändert hatte. Genügend Zeit also, seine Mission zu erfüllen, worin auch immer sie bestehen mochte.

»Was ist eigentlich los? Was ist mit deinem Vater?«

Statt einer Antwort stand Jonathan auf. »Komm. Ich bring dich zur Pension«, sagte er, ohne Shary anzusehen. Plötzlich waren ihm diese Frau, ihr forschender Blick und ihre ewigen Fragen ein gewaltiges Stück zu nahe.

Am liebsten hätte er sie hier sitzen gelassen und wäre davongerannt. Aber er war schließlich keine siebzehn mehr. Er wusste, dass man sich nicht einfach so verdrücken konnte.

Nuuk, Grönland, Frühjahr 2011

long time no see
long time no play
was war los?
nichts. hatte viel zu tun
für die schule?
damit bin ich fertig
gratuliere ☺
danke. bist du lehrer?
ich?????
sorry. was dann?
alles mögliche. nun würfel endlich

Es war Sonntagnachmittag, mein Vater schlief immer noch, draußen schneite es dicke, weiße Flocken und ich trank Milchkaffee statt Bier. Wir spielten eine Partie nach der anderen. Ein paar Tage war Funkstille gewesen zwischen Spider und Bienenkönig. Aber jetzt lief es wieder und ich war so erleichtert darüber, als wäre ein alter Freund wieder aufgetaucht. Es war nun mal so: Ich spielte gerne mit ihm. Manchmal, wenn wir, so wie jetzt, ohne zu chatten eine ganze Partie lang nur die Würfel rollen ließen, vergaß ich, dass ich am Computer saß. Es war fast wie früher im Winter, bei meiner Großmutter, als wir im Wohnzimmer an dem runden Holztisch gesessen hatten, jeder mit einem ledernen Becher, und als Unterlage hatten wir Bierdeckel, damit die Würfel nicht so knallten. Plötzlich packte mich die Sehnsucht nach ihr, die Sehnsucht nach selbst gebackenen Grönlandkeksen und nach heißer Milch mit Honig und nach Walnüssen, die wir mit dem grimmig aussehenden Nussknacker knackten. Sie packte mich so sehr, dass sich mir die Kehle zusammenzog, so wie in den ersten Monaten in Nuuk, wenn das Telefon klingelte und ich hinlief und es doch wieder nur einer von den Kumpels meines Vaters war. Gegen jede Vernunft hatte ich gehofft, dass es meine Großmutter war, die da anrief, aus Deutschland. Dass sie lachte und sagte, Pakku, komm zurück, mir geht's wieder besser, morgen werde ich aus dem Krankenhaus entlassen. Glaub ihnen nicht, wenn sie sagen, dass es mich nicht mehr gibt.

Ich hatte sie nie tot gesehen. Als ich morgens zur Schule gegangen war, hatte sie mir wie immer vom Küchenfenster aus nachgewinkt. Und als ich mittags aus der Schule kam, hatte man sie schon abgeholt. Sie war auf der Terrasse zusammengebrochen, einfach so beim Schuheputzen, eine Nachbarin hatte den Krankenwagen gerufen. Keiner war auf die Idee gekommen, einem neunjährigen Jungen eine tote alte Frau zu zeigen, und auch das Begräbnis hatten sie mir ersparen wollen. Stattdessen war mein Großonkel Georg mit mir nach Hamburg gefahren und in den Zoo gegangen. Ich konnte mich kaum noch an sein Gesicht erinnern, aber dass er auf die Uhr schaute und sagte »Jetzt sind sie ja wohl fertig«, weiß ich noch genau. Er hatte geglaubt, dass ich nicht verstand, wovon er sprach, weil niemand mit mir über die Beerdigung geredet hatte.

Auch unser Haus in Dannenberg, den Garten mit der Schaukel und den Bienenkästen, mein Kinderzimmer unterm Dach, die Schule und Frau Mirow, alles das sollte ich nicht mehr wiedersehen. Meine Großtante hatte meine Sachen am selben Tag abgeholt, direkt nach der Beerdigung. So lange, bis geregelt war, zu wem ich kommen würde, blieb ich bei ihnen in Hamburg.

wo wohnst du eigentlich? oder verrätst du das auch nicht?

doch. in hamburg

ehrlich?

ja. lebst du auch in hamburg?

nein, aber ich war mal da

Ausgerechnet Hamburg! Diese Stadt, in der ich mich so mies gefühlt hatte. Endlose Tage, die ich in der vornehmen, immer viel zu heißen Altbauwohnung verbracht hatte, zusammen mit Onkel Georg und Tante Anneliese, die so mitleidig mit mir redeten und die absolut nichts mit mir anfangen konnten. Ich ging nicht zur Schule, es hätte sich nicht gelohnt, weil es klar war, dass ich bei ihnen nicht bleiben würde. Und so saß ich ganze Vormittage auf der Fensterbank zwischen der Tüllgardine und der Fensterscheibe und schaute auf die Straße hinunter, in der die Menschen einkaufen gingen. Ich stellte mir vor, in einem gläsernen Wachturm zu sitzen, und suchte mir immer wieder jemanden aus, den ich so lange zu beobachten hatte, bis er aus meinem Blickfeld verschwand. Es war eine anstrengende Aufgabe. Wenn ich auch nur einmal blinzelte, bestand die Gefahr, dass der Mensch spurlos vom Gehwegpflaster verschluckt wurde.

Als es feststand, dass ich nach Grönland zu meinem Vater ziehen würde, wurde ich vor Aufregung krank. Tante Anneliese wickelte mir nasse, kalte Handtücher um die Waden und steckte mir ein Fieberthermometer in den Hintern und ich wäre fast gestorben, weil es so schrecklich war. Das Hamburg, das ich kannte, bestand aus einigen unzusammenhängenden Erinnerungen – der Zoo, die Fensterbank mit der weißen Gardine, der große Flughafen, wo mich eine Stewardess an die Hand genommen hatte. Es war die Stadt eines verwirrten, unglücklichen kleinen Jungen.

und wo wohnst du?
in dannenberg
im wendland?
genau
da war ich mal auf einer fußballfreizeit, vor ewigkeiten
spielst du noch?
das ist lange vorbei. und du?
nee
was machst du denn außer bg?
warum willst du das wissen?
du interessierst mich
du kennst mich doch gar nicht
deswegen will ich ja was wissen
vielleicht wärst du enttäuscht
vielleicht, vielleicht auch nicht
über dich hast du noch fast nichts verraten

vielleicht wärst du enttäuscht
weil du hsv-fan bist?
vielleicht

Verdammt viele Vielleichts. Wir schlichen umeinander herum wie die Boxer vor dem ersten Schlag. Ich lehnte mich auf meinem Schreibtischstuhl zurück. Ob es stimmte, dass Spider in Hamburg wohnte? Warum nicht? Warum sollte er das erfinden? Warum hatte ich erfunden, dass ich in Dannenberg lebte? Ich wollte ja gar nicht dorthin zurück, das war genauso ein verschlafenes Nest wie Nuuk, nur nicht ganz so kalt. Ich wollte nach New York oder nach London oder auch nach Berlin, auf jeden Fall in eine richtige Stadt mit Millionen von Menschen. New York lag von Nuuk aus am nächsten, ganz genau 2978 Kilometer entfernt, nach London waren es 28 Kilometer mehr und Berlin lag noch mal rund 800 Kilometer weiter weg. Also New York – vielleicht auch deshalb, weil mein Vater die Amis nicht ausstehen konnte. Scheißamis pflegte er sie zu nennen, Scheißamis, die glauben, dass ihnen die Welt gehört.

was willst du denn wissen?
ob du schon mal in new york warst
war ich nicht, würde ich aber gerne
ich auch
okay. treffpunkt nächsten samstag, empire state building?
okay, 13 Uhr
abgemacht. ich muss jetzt schluss machen
gn ☺
gn ☺

Ich schaute auf die Zeitanzeige. In Hamburg war es jetzt kurz vor acht Uhr abends, vielleicht wollte Spider Tagesschau gucken und danach den Tatort. Ich hatte nicht vergessen, dass das für meine Großmutter der wichtigste Abend in der Woche gewesen war. Wenn ich in meinem Bett lag, konnte ich die unheimliche Musik hören, mit der der Krimi anfing. Es war gruselig und trotzdem gemütlich, denn ich war sicher, dass mir nichts passieren konnte. Saß Spider jetzt irgendwo in Hamburg in einer überheizten Wohnung mit Tüllgardinen vor dem Fenster, guckte Tatort, trank ein, zwei Gläser Wein und plumpste dann neben seiner Gattin ins Doppelbett? Nein, das passte nicht. Spider lebte allein, irgendwo in der Großstadt, er war ein alter, einsamer Wolf, der sein Rudel verloren hatte, das spürte ich.

Nuuk, Grönland, Sommer 2020

Am Abend hatte Jonathan während irgendeiner grönländischen Gameshow gedankenlos eine XL-Tüte Chips geleert, bevor er vor dem Fernseher eingeschlafen war. Jetzt hatte er trotz Zähneputzen immer noch den salzig-pappigen Geschmack im Mund und nicht den geringsten Appetit. Trotzdem zwang er sich, das Frühstück nicht wieder ausfallen zu lassen. Inmitten einer Gruppe von Backpackern saß er in der Cafeteria des Hotels und stippte ein Schokoladenbrötchen in den Milchkaffee. Er hatte den Stadtplan vor sich ausgebreitet und suchte den Weg zur Erlöserkirche.

Eine Viertelstunde später ging er über den Kirchplatz, auf dem ein paar Jungs einen Ball hin und her kickten. Es war wieder ein klarer, kühler Tag mit Temperaturen um die zwölf Grad, so ganz anders als in Hamburg, wo die Sommer von Jahr zu Jahr heißer und trockener wurden. Jonathan blieb einen Moment stehen und sog die nach Meer und Sonne riechende Luft in sich auf, bis er auf das grün gestrichene Häuschen gegenüber der Kirche zuging. Ein Schild wies darauf hin, dass sich hier das Hauptbüro der Grönländischen Traditionsbewegung befand, Öffnungszeiten variabel.

Die Tür war nicht verschlossen. Er trat ein und befand sich in einem Flur, an dessen Wänden große Fotos hingen, ein Igludorf, ein vielspanniger Hundeschlitten, ein

Walfangboot auf dem Meer. In einer Ecke stand ein Regal mit bunt bemalten Masken und einigen kleinen Statuen aus grünlichem Serpentin. Tupilaqs, Furcht einflößende Wesen, die magische Kräfte besaßen, wenn man an sie glaubte. Jonathan strich mit den Fingern über die glatt polierte Oberfläche der Figuren und lauschte den Stimmen, die aus einem der beiden Räume kamen, eine Frau und ein Mann, die offenbar angeregt miteinander diskutierten. Doch sie sprachen zu schnell, als dass er hätte verstehen können, um was es ging.

Er näherte sich der halb geöffneten Tür, um anzuklopfen. Doch mitten in der Bewegung hielt er inne. Hinter dem voll bepackten Schreibtisch, einen Fuß locker gegen die Tischplatte gestützt, saß ein Mann in einem Drehstuhl, in Oberhemd, Jeans und Sandalen, ein Mann, den er kannte. Es war Angaju, Aqqaluks großer Bruder. Anga, der Trommler.

Im selben Moment trafen sich ihre Blicke und Jonathan wusste, dass Anga auch ihn erkannt hatte. Doch er wandte sich wieder der Frau ihm gegenüber zu, deren Stimme zu hören war, die Jonathan jedoch nicht sehen konnte. Er sprach genauso engagiert und dennoch gelassen weiter wie vorher. Nur seine Zehen in Sandalen und weißen Tennissocken wippten als Zeichen seiner Nervosität auf und ab. Jetzt nickte er Jonathan zu.

»Ich komme gleich«, sagte er. »Setz dich drüben in die Küche und nimm dir einen Kaffee, wenn du magst.«

Jonathan war von dieser Begegnung so unerwartet getroffen worden, dass er nahezu willenlos war. Er drehte sich um, öffnete die gegenüberliegende Tür, betrat die

Küche, griff sich einen der Becher neben der Kaffeemaschine und schenkte sich ein. Während er ihn in kleinen Schlucken trank, löste sich seine Starre langsam auf und er wurde von einem Wirbelsturm an Gefühlen und Gedanken gepackt. Was sollte er tun? Einfach abhauen? Was würde Anga machen? Was dachte er? Warum hatte Anga so getan, als wäre es ganz natürlich, dass er plötzlich in der Tür stand? Was genau wusste er eigentlich? Wie jung er ausgesehen hatte, kaum anders als früher, der kluge, verrückte Angaju. Mann, es war großartig, ihn wiederzusehen!

Dann stand Anga in der Küche, drückte die Tür hinter sich zu, ging auf Jonathan zu und schloss ihn in die Arme, eine so selbstverständliche Geste, dass Jonathan die Tränen in die Augen traten. Einen Moment standen sie so da, bis Anga ihn losließ.

»Du bist zurückgekommen«, sagte er und lächelte. Er nahm sich auch einen Becher, setzte sich auf einen der Holzstühle an den Tisch und schnitt zwei Stücke von dem Napfkuchen ab, der dort zwischen Prospekten und Zeitungen stand. »Kaffemik.«

Kaffemik. Auch dieses Wort war wieder da und brachte so viel mit, von dem Jonathan nicht gewusst hatte, dass es noch in ihm steckte. Wenn man es hörte, roch man den Kaffee und den selbst gebackenen Blaubeerkuchen. Manchmal, wenn die Eltern zu den Verwandten im Norden gefahren waren, hatte Anga für die jüngeren Geschwister und ein paar Freunde ein Kaffemik auf dem Teppich im Wohnzimmer veranstaltet. Angaju, *älterer Bruder* ... es schien, als hätte Anga allein schon durch seinen

Namen die Fürsorge für seine Geschwister auf sich genommen.

Jonathan und Anga saßen sich gegenüber, die Ellenbogen aufgestützt, sie tunkten ihren Kuchen in den Kaffee und aßen und tranken ohne Eile, zwei alte Freunde, die sich kurz aus den Augen verloren hatten. Für Sekunden vergaß Jonathan, dass diese kurze Zeit neun Jahre gedauert hatte. Er war froh, dass Anga so viel redete, mehr, als es früher seine Art gewesen war, und er ahnte, dass Anga das tat, um ihnen beiden die Situation leichter zu machen. Er erzählte vor allem von seiner Arbeit bei der Traditionsbewegung. Sie waren rund zwölf Aktive in Nuuk, aber es gab viele Leute, die sich durch Spenden beteiligten, sodass Anga sogar für zehn Stunden in der Woche bezahlt werden konnte. »Wir haben schon einiges gegen die großen Konzerne erreicht«, erzählte er stolz. »Für die sind wir doch nur ein skurriles Völkchen, dem das Eis wegschmilzt. Die interessieren sich nur für die Rohstoffe, die es hier zu holen gibt. Aber wir haben es geschafft, dass einige der alten Dörfer nicht zerstört wurden. Es kommen immer mehr Touristen nach Grönland. Aber bestimmt nicht, um Bohrtürme und Abraumhalden zu sehen.« Anga trommelte mit den flachen Händen einen kurzen Rhythmus auf die Tischplatte. »Die Siedlung am Rasmussenvej, die ist nicht mehr da«, sagte er unvermittelt.

»Ich weiß. Deswegen bin ich hier. Ich wollte fragen, ob ihr wisst, wo die Leute hingezogen sind.«

»In die Neubauten weiter oben am Fjord. Aber dein Vater hat dort schon lange nicht mehr gewohnt. Soweit ich weiß, ist er in den Süden gezogen.«

»Nach Nanortalik?«

»Kann sein.«

»Da hat es ihm immer am besten gefallen. Bergsteigen und Bienen, weißt du …«

Sie schwiegen beide. Jonathan spürte, dass Anga ihm die Zeit geben wollte zu reden, zu erzählen, was damals passiert war, und dass er ihm ebenso die Möglichkeit offenließ, seine Geschichte für sich zu behalten.

»Anga«, sagte er. »Ich will zuerst mit meinem Vater sprechen.«

Anga nickte. Dann stand er auf und holte aus einem Wandschränkchen eine Flasche ohne Etikett und zwei Gläser heraus. Er schenkte sich und Jonathan zwei Fingerbreit ein. »Wodka«, sagte er, »hat mein Alter selbst gebrannt. Er sagt dazu Wässerchen.« Er hob sein Glas. »Auf die Familie.«

Jonathan kippte den Schnaps hinunter und schüttelte sich. »Wässerchen …« Er nahm die Flasche mit der farblosen Flüssigkeit in die Hand. »Was glaubst du, Angaju?«, sagte er und sah sein Gegenüber fast lauernd an. »Haben Namen eine Bedeutung?«

Anga überlegte einen Moment. »Lange Zeit haben wir unseren Kindern dänische Namen gegeben, dann amerikanische, in letzter Zeit gibt's sogar indische. Über uns, über die Inuit, sagt das eine Menge aus.«

»Ich meine, für den, der ihn trägt.«

Anga lachte. »Meine Tochter heißt Avaaruna. Weißt du, was das bedeutet?«

»Keine Ahnung.«

»Kleines Mädchen, das sich den Hinterkopf angeschlagen

hat. Sie war sehr zappelig, als sie auf die Welt kam, und hat sich gleich den Kopf gestoßen. Wir haben ihr diesen Namen gegeben, damit wir besser auf sie achtgeben.«

»Bist du verheiratet?«

»Ja.« Anga nickte. Aus dem Nebenzimmer hörte man die Tastatur eines Computers klackern und von draußen das Geschrei der Jungen.

»Wie geht es Aqqaluk?« Jonathan versuchte in Angas Miene die Antwort vorauszuahnen, um sich zu wappnen für das, was er ihm gleich erzählen würde. So viel Zeit war vergangen, in der so viel hatte passieren können.

»Es geht ihm ganz gut.« Anga verzog das Gesicht zu einem Grinsen, das ebenso viel und so wenig verriet wie das Wörtchen *ganz*. »Er ist Restaurantkontrolleur oder so ähnlich. Das heißt, er sieht zu, dass die anderen ihre Arbeit machen.«

»Restaurantkontrolleur?«

»Er arbeitet für Sven Kristiansen. Der hat eine ganze Reihe von Fischrestaurants an der Küste. Vielleicht hast du eins am Hafen gesehen, es hat einen großen goldenen Fisch über der Tür.«

Jonathan lachte. »Sven! Er scheint sich verbessert zu haben. Und Aqqaluk offenbar auch.«

Anga zuckte die Schultern. »Ich sehe ihn kaum noch. Er ist viel unterwegs. Ich glaube nicht, dass er jetzt in Nuuk ist.«

Jonathan wartete, ob Anga weiterreden würde. Doch der schien nicht weiter über seinen Bruder sprechen zu wollen. Jonathan tippte mit den Fingern gegen die Wodkaflasche. »Seit wann trinkst du so etwas, Anga?«

»Das kommt selten vor.« Auf Angas Gesicht zeigte sich etwas, das Jonathan als Verlegenheit deutete. Er stand auf, stellte die Flasche wieder in den Schrank und drehte sich dann zu Jonathan um. Mit einem Lächeln legte er ihm die Hände auf die Schultern. »Aber es ist ein besonderer Moment, wenn die Toten plötzlich vor einem stehen, Pakku.«

Nuuk, Grönland, Frühjahr 2011

Seit dem Vorfall mit der Alaska behandelte mich Sven anders als die anderen. Er schien in mir so etwas wie einen Komplizen zu sehen. Obwohl ich genauso oft zu spät kam wie vorher, meckerte er mich kein einziges Mal an, sondern grinste auf eine verschwörerische Art, die mir auf die Nerven ging. Was sollte das? Ich wollte nicht mit ihm in einem Boot sitzen, jedenfalls nicht als erster Offizier oder was immer er jetzt in mir sah.

Die Alaska hatte Nuuk verlassen und war Richtung Norden abgedampft, zu den Eisbergen der Diskobucht, und Sven backte wieder kleinere Brötchen, das heißt, er belieferte nur seine Stammkunden. Doch nach circa einer Woche fing er mich auf dem Weg zur Arbeit ab, noch bevor der von morgendlichen Nebelschwaden gnädig verhüllte Schuppen in Sicht war.

»Hey, Pakku«, sagte er. »Ausgeschlafen?«

»Nee.« Ich ging im gleichen Tempo weiter, um klarzumachen, dass es nicht an mir lag, wenn ich zu spät kam.

»Warte doch mal«, meinte er und boxte mir leicht gegen die Schulter, was er wohl für eine kumpelhafte Geste hielt. »Hast du schon gehört: In zwei Tagen kommt die Alaska zurück.«

»Schön.«

»Es ist der Abschluss ihrer Grönlandtour.«

»Und?«

»Nun renn doch nicht so. Ich komm ja kaum mit.«

»Worum geht's denn?« Jetzt blieb ich stehen. Ich war zu gespannt, auf was die Sache hinauslief, um Sven noch länger zappeln zu lassen.

»Die Abschlussfeier eben, verstehst du? Sie machen ein großes Bankett. Mit allem Drum und Dran. Und wir liefern das Futter, jedenfalls einen ordentlichen Beitrag, nicht nur Krabben.« Sven blinzelte mich aus seinen tränigen Augen an und rieb sich die Hände.

»Wir?«

»Na ja, ich. Ich hab 'ne Menge bestellt, Garnelen, Krabben, Lachs, Seewolf, Robbenfleisch, Wal, Tümmler, auch Rentier und Moschusochse, eben alles.« Mit jedem toten Tier schwoll der Stolz in seiner Stimme an. »Auf dem Braedet wird's nicht viel Auswahl geben. Ich hab das meiste schon im Voraus aufgekauft.«

Der Braedet war der Markt in Nuuk, wo die Jäger und Fischer ihre Waren anboten. Die, die selbstständig waren und nicht für Royal Greenland arbeiteten.

Ich schüttelte unwillig den Kopf. War Sven wirklich so dumm? Das würde doch nie im Leben gut gehen. Wie wollte er denn so viel Zeug auf die Alaska bringen, ohne dass das irgendjemandem auffiel? Dieser Grönemeyer stand doch bestimmt noch unter Beobachtung.

Sven schien meine Gedanken gelesen zu haben. Der Ausdruck seines rötlichen Gesichts wechselte von Stolz zu Gerissenheit. Manchmal erinnerte er mich an meinen Vater. »Die Kontrolleure sind nicht mehr da, das ist sicher. Ist alles hundertprozentig gecheckt«, prahlte er.

»Sicher?«

»Ja. Und alles andere auch. Du kriegst meinen VW-Bus. Wahrscheinlich musst du zweimal fahren.«

»Ich?«

»Du kannst doch fahren, oder irre ich mich?«

Ich kniff die Augen zusammen. Spielte Sven jetzt darauf an, dass ich ein paarmal mitgemacht hatte, wenn Ingvar mit dem Auto seines Vaters losgezogen war? Wir waren durch die Gegend gerast, zusammen mit ein paar anderen Typen, und einer hatte dabei einen ziemlich neuen Volvo im Fjord versenkt. Es war eine blödsinnige Aktion gewesen und ich dachte eigentlich, dass niemand mitgekriegt hatte, wer alles dabei gewesen war. Aber okay, wir waren in Nuuk, da gab es keine Geheimnisse. Und das war ein Grund, warum Svens Geschäfte ihm irgendwann das Genick brechen würden.

»Warum fährst du nicht selbst?«

Sven kratzte sich am Ohr und guckte dümmlich. Ach ja, er war für ein Vierteljahr seinen Führerschein los, weil er sternhagelvoll am Steuer erwischt worden war. Auch das war eines der Geheimnisse, das keines war.

»Aber du hilfst mit beim Kistenschleppen, oder?« Mist, jetzt hatte ich so gut wie zugestimmt, ohne überhaupt über das Ganze nachgedacht zu haben.

»Ich hab anderes zu tun. Für 1500 Kronen kannst du dich schon mal reinhängen, denke ich.«

»1500 Kronen? Das sind ja genau zwei Bienenvölker!«

Sven schaute mich verständnislos an und ich musste lachen. »Sollte ein Witz sein«, sagte ich.

»Verstehe ich nicht. Egal.« Sven streckte mir seine Pranke entgegen und sah mich auffordernd an. »Mittwochmorgen. Du musst aber schon kurz nach Sonnenaufgang bei mir sein.«

»Nur wenn Aqqaluk mitmacht. Und für jeden 1000 Kronen«, sagte ich, »im Voraus.«

Sven zögerte eine Sekunde. Dann schlug er ein. »Abgemacht.«

Seite an Seite gingen wir auf den immer noch im Nebel liegenden Krabbenschuppen zu, die reinste Eintracht. Aber Sven sollte mich nur nicht für blöd verkaufen. Er war einfach zu feige, das Ding durchzuziehen, und schickte lieber mich in die Höhle des Löwen. Ich überlegte kurz, einen Rückzieher zu machen. Doch dann zuckte ich die Schultern. Zweitausend Kronen waren eine Menge Geld. Und wenn sie uns tatsächlich hochnahmen, konnten wir immer noch alles auf Sven schieben und so tun, als hätten wir keine Ahnung, dass die Sache illegal war.

Wegen des Deals mit Sven dachte ich den ganzen Tag keinen einzigen Moment mehr an Spider und unsere Verabredung auf dem Empire State Building. Wozu auch? Das Ganze war ja nichts anderes als ein Joke gewesen. Aber Spider hatte offenbar weniger um die Ohren als ich. Als ich am Abend online ging, war er auch da, und nach ein paar Spielchen kam er auf unser Date zu sprechen.

hast du schon den flug gebucht?
klar. du auch?
logisch
woran erkenne ich dich eigentlich?
man erkennt sich immer, wenn man will
wieso? machst du das öfters?

nein
nun würfel endlich
warte mal. wollen wir uns nicht wirklich mal treffen?
in hamburg. wir könnten ein richtiges bg spielen
hmm
was hältst du davon?
hmm
wovor hast du angst?
vor nichts
neutraler boden. im schachcafé am rübenkamp
vielleicht
samstagabend, 20 uhr?

Mann, dieser Fremde da draußen nahm die Sache wirklich ernst. Ich musste wohl allmählich damit rausrücken, dass ich nicht in Deutschland lebte und ihn leider nicht treffen konnte. Ich hatte fast ein schlechtes Gewissen, ihm nicht von Anfang an die Wahrheit gesagt zu haben. Dabei tat das doch kaum jemand, der sich im Internet rumtrieb, oder? Wer gab schon seine Identität preis? Von Spider wusste ich ja auch immer noch fast nichts. Und falls er tatsächlich glaubte, dass ich ein siebzehnjähriger Junge war, der in Dannenberg lebte, war es sowieso nicht gerade die feine Tour, mich am Abend nach Hamburg zu lotsen. Wollte er etwa, dass ich bei ihm übernachtete, oder wie stellte er sich das vor? Oder war das alles nach wie vor nur ein Spiel?

Ich würfelte und setzte meine Steine, aber ich hatte Pech und Spider gewann eine Runde nach der anderen. Während ich auf den Computer schaute, versuchte ich, einen Gedanken, einen Satz, zu erwischen, den ich von Sven gehört hatte, als wir am Hafen vorbeigekommen waren. Es war irgendetwas Wichtiges, irgendetwas, das mit der Alaska zu tun hatte. Samstagnachmittag ist sie in Hamburg, hatte er gesagt. Das war es! Die Alaska fuhr nach Hamburg und sie würde ein paar Stunden vor meiner Verabredung mit Spider dort ankommen! Plötzlich kribbelten mir die Handflächen, sie fingen richtig an zu jucken. Die Alaska! Wenn ich jetzt Glück hatte, wenn ich jetzt einen Pasch würfelte, dann würde ich mitfahren, egal wie, dann bekam ich meine Chance.

Ich klickte auf die Würfel, hörte das vertraute kollernde Geräusch, schloss die Augen und öffnete sie wieder. Ein Pasch! Ein Sechserpasch … Ich würde es schaffen!

samstagabend? okay, ich werde da sein

sicher?

todsicher

Südwestküste Grönlands, Sommer 2020

Sie hatten mittlerweile den zweiten Wodka geleert und den Rest des Kuchens aufgegessen. Jonathan war es nicht gewohnt, am Morgen Schnaps zu trinken, und Anga offenbar auch nicht. Sein Gesicht war gerötet und er lachte mehr, als er in Jonathans Erinnerung während einer ganzen Woche gelacht hatte. Aber vielleicht hatte er auch ein falsches Bild von Aqqaluks großem Bruder abgespeichert. So vieles von dem, was er erinnerte, schien nicht mehr zu stimmen.

Anga schlug Jonathan auf den Oberschenkel und giggelte. »Pakkutaq Wildhausen, auferstanden von den Toten. Wenn ich das Aqqa erzähle …« Aber dann wurde er wieder ernst. »Hör zu«, sagte er, »du musst jetzt gehen. Ich hab noch zu tun.« Er schaute zur Uhr über der Küchentür; offensichtlich hatte er es auf einmal eilig. »Du könntest einen Frachter nach Nanortalik nehmen, heute Vormittag noch. Freunde von mir bringen Ersatzteile in den Süden, für Daylightmobile. Da kannst du sicher mitfahren.«

Jonathan zögerte. »Heute noch … Ich weiß ja gar nicht, ob mein Vater wirklich dort hingezogen ist.«

Doch für Anga war die Sache ganz einfach. »Wenn du glaubst, dass dein Vater in Nanortalik ist, dann wird es stimmen«, meinte er. »Bevor du darauf wartest, dass am Montag das Amt aufmacht, um das herauszufinden, kannst du dich lieber selbst auf den Weg machen.«

Aus dem Büro drang die Stimme seiner Kollegin. »Anga! Wo bleibst du denn so lange?«

»Ich komme!« Anga stand auf. »Geh zum Hafen, zur Ivalu. Sag, dass du von mir kommst. Das Schiff hält auch in Paamiut und Qaqortoq. Da kannst du dich dann nach deinem Vater erkundigen.« Er legte Jonathan den Arm um die Schultern und schob ihn zur Küche hinaus und den Flur hinunter zur Haustür. »Mach's gut, Freund. Viel Glück«, sagte er und dann fiel die Tür hinter Jonathan ins Schloss.

Jonathan stand auf dem Platz, wo die Jungs immer noch ihren Ball hin- und herkickten, und versuchte, einen klaren Gedanken zu fassen. Er hätte den zweiten Wodka nicht trinken sollen; es fiel ihm schwer, sich zu konzentrieren. Was war mit Anga los gewesen? Dass er keinerlei Fragen gestellt hatte, war Jonathan nur recht gewesen. Aber warum hatte er es auf einmal so eilig gehabt, nur weil seine Mittagspause anstand? Es schien fast, als ob er ihn hatte loswerden wollen. Anga glaubte doch wohl nicht wirklich daran, dass die Toten wiederauferstehen können … Es war genau wie damals: Er hatte sich wohlgefühlt in Angas Nähe. Aber er verstand ihn und seine Art zu denken nicht.

Unschlüssig ging Jonathan in Richtung Hafen. Da war wieder dieses Gefühl, dass er das alte Nuuk wiedergefunden hatte. Den Ort seiner Kindheit und Jugend, der ihn verwirrt und deprimiert hatte. Bei dem Gedanken, die Stadt hinter sich zu lassen, und sei es nur für eine Fahrt die Küste entlang nach Süden, verspürte er Enttäuschung und Erleichterung zugleich.

Die Ivalu war ein mittelgroßes Frachtschiff für Stückgut, ein rostiger Kasten, der neben den Containerschiffen wie ein Schmuddelkind wirkte. An Bord stand ein untersetzter Inuit in Latzhose und löcherigem Pullover, der eine Zigarette rauchte. Als Jonathan zu ihm hochgrüßte, schnippte der Mann ihm den Stummel vor die Füße.

»Das wird aber auch Zeit«, rief er auf Grönländisch. »Ich komme runter. Kannst schon mal den Transporter vorfahren.« Und schon lief er über die hölzerne Gangway. Noch im Gehen warf er Jonathan etwas zu, das dieser erst als Autoschlüssel erkannte, als er es in den Händen hielt.

Es dauerte ein paar Sekunden, bis der Mann begriff, dass Jonathan nicht die Hilfskraft war, auf die er gewartet hatte. »Shit«, fluchte er, »hat mich dieser Kerl schon wieder hängen lassen.« Er musterte Jonathan und zuckte dann die Schultern. »Was ist, kannst du mit anpacken?«

Nach wenigen Sätzen waren sie sich einig: Jonathan würde beim Beladen des Frachters helfen und dafür umsonst die Fahrt nach Nanortalik mitmachen. Jonathan war es ganz lieb, sich nicht auf Anga berufen zu müssen. So brauchte er keine Fragen zu beantworten, die womöglich in die Vergangenheit geführt hätten.

Kurz darauf hatte Fridjof, der sich als Schiffseigner, Kapitän und Spediteur in einer Person herausstellte, den Transporter vor die Gangway gefahren und gemeinsam hievten sie die schweren Holzkisten aus dem Wagen und schleppten sie an die Kaimauer. Sechs, sieben Kisten waren es, vollbepackt mit Motoren und Antriebswellen. Die Anstrengung trieb Jonathan den Schweiß auf die Stirn. Schwer atmend ließ er sich auf der letzten Kiste nieder und lauschte dem Hämmern seines Herzens gegen die Rippen.

Und plötzlich, völlig unerwartet, war die Angst wieder da. Sie fiel ihn an wie ein wildes Tier, das in seinem Versteck gelauert hatte. Die Furcht zu ersticken. Die anschwellende Panik, die ihm auf der Alaska die Luft geraubt hatte. Alles war wieder da. Sven und seine Krabbentouren, die Fahrt mit Aqqaluk und Maalia zum Hafen, die Kiste aus Styropor, der entsetzliche Gestank, das Schwanken. Die letzte Nacht in Nuuk. Die erste auf der Alaska.

»Was ist los? Machst du schon schlapp?«, lachte Fridjof. »Willst du 'n Bier?«

»Nein danke«, antwortete Jonathan. Dann stürzte er zur Kaimauer und spuckte den Inhalt seines Magens ins Meer, das Frühstück, Angas Kuchen, den Wodka und seine Erinnerungen. All das, was ihm brennend und bitter hochgekommen war.

Nuuk, Grönland, Frühjahr 2011

Es war noch Nacht, als ich aufstand und den Wecker an meinem Handy ausschaltete. Ich hatte ihn nicht gebraucht, weil ich sowieso kaum geschlafen hatte. Mein Adrenalinpegel war am Abend mindestens so hoch gewesen wie der Spritpegel meines Vaters. Als ich in sein Zimmer schlich, um ihm einen Zettel hinzulegen, auf dem ich ihm alles Gute wünschte, stieß ich mit dem Fuß gegen die Batterie Bierflaschen vor seinem Bett. Er hörte das Scheppern nicht. Er lag ausgestreckt da und atmete flach und unruhig. Seine Bettdecke war runtergerutscht, ich zog sie wieder hoch. »Also dann … mach's gut …«, murmelte ich und mit einem Mal wurde mir klar, dass ich in all den Jahren vermieden hatte, ihn beim Namen zu nennen. Ich hatte weder Papa noch Vater noch Peter zu ihm gesagt. Ich hatte einfach drumrum geredet.

Ich zog seine Tür hinter mir zu, nahm meine Jacke vom Haken, legte meinen Haustürschlüssel auf den Küchentisch und ging.

Mein Plan war ganz einfach. Auf dem Weg zum Hafen würden Aqqaluk und ich an einer ruhigen Stelle anhalten, das Zeug aus einer der Kisten ins Meer kippen, ich würde hineinklettern und kurz darauf als Wal- oder Robbenfleisch deklariert mit einer Sackkarre an Bord der Alaska gerollt werden. Ich hatte an alles gedacht, hatte meinen Ausweis und all mein Geld eingesteckt, inklusive der 500 Kronen Vorschuss, die ich von Sven bekommen hatte, sogar die vier, fünf Fotos, die mir wichtig waren, hatte ich mir in die Brieftasche geschoben. Und natürlich würden wir Luftlöcher in die Kiste bohren, die ich erst einmal von innen mit einem Styroporkorken wieder verschließen würde, damit sie nicht auffielen.

Ich lief durch das schlafende Nuuk, Grönlands Hauptstadt voller Steine und Einsamkeit, das Lichtjahre davon entfernt war, einer Hauptstadt zu ähneln. Es war so still, dass mein Atem mir verräterisch laut vorkam, nicht einmal die Betrunkenen, deren Gegröle fast immer irgendwo durch die Nacht dröhnte, waren noch wach. Die Luft war kalt, aber sie roch nicht mehr nach Schnee und Eis, sondern nach Frühling, etwas, das mir plötzlich überdeutlich bewusst wurde. Ich lief unter einem Himmel, der sich vorgenommen hatte, mir den Abschied schwer zu machen. Das Nordlicht ließ ihn leuchten und fließen und wehen, als würde es nur für mich all seine überirdisch grünen Farben ausschütten.

Und wie aufs Stichwort tauchte Maalia aus dem Schatten auf, als ich am Schuppen ankam, im selben Moment wie Aqqaluk.

»Hey«, sagte sie und warf Aqqaluk einen kurzen Blick zu.

Auch ich sah ihn an. Er zuckte die Schultern und versuchte, so wenig schuldbewusst wie möglich zu gucken. »Ich hab sie im Treppenhaus getroffen. Sie muss geahnt haben, dass irgendwas läuft.«

»Geahnt?« Ich funkelte ihn wütend an. »So was kann man nicht ahnen, wenn niemand quatscht.«

Maalia legte mir die Hand auf die Schulter. »Er hat

wirklich nichts gesagt, Pakku. Aber ist dir nicht klar, wie nervös ihr beide seit Tagen seid?«

Ich schüttelte unwillig den Kopf. »Du vermasselst noch alles. Verschwinde!«

»Nein.«

An dem Blick ihrer schwarzen Augen erkannte ich, dass sie sich nicht wegschicken ließ.

»Was willst du denn hier?«

»Weiß ich nicht. Ich weiß ja nicht, was ihr vorhabt.«

Jetzt mischte sich Aqqaluk ein. »Sie kann uns helfen, wo sie schon mal da ist. Zu dritt sind wir schneller.«

Ich nahm Svens Schlüssel aus der Hosentasche und schloss den Schuppen auf. Die Kisten standen ordentlich gestapelt neben dem Eingang. Wortlos ging ich wieder nach draußen, holte den Transporter und fuhr ihn direkt vor den Eingang. Wir schleppten die Kisten, schoben sie in den Wagen, verschlossen den Schuppen und stiegen ein. Zu dritt saßen wir nebeneinander und fuhren in Richtung der Kaianlagen. Noch immer hatten wir Maalia nicht erklärt, worum es ging. Vielleicht hatte ich gehofft, dass ihr die Arbeit langweilig werden würde und sie sich vorzeitig verdrückte. Doch das tat sie nicht. Sie stieg mit uns an der dunkelsten Ecke des Hafenbeckens aus, half uns, die schwere Kiste zu kippen, und schaute genau wie Aqqaluk und ich zu, wie das Robbenfleisch ins Wasser sank. Es dauerte nur ein paar Sekunden, dann waren genügend Fische da, um den Beweis unseres Betrugs gründlich zu vernichten. Als Aqqaluk und ich unsere Messer herausholten und anfingen, die Löcher zu bohren, lachte sie ein kurzes, hartes Lachen.

»Du willst weg, Pakkutaq.« Sie legte den Kopf schief und musterte mich, als müsste sie prüfen, ob ich der richtige Mann für so ein Unternehmen war. Ohne den Blick von mir zu lösen, zog sie ihre Winterjacke aus. Dann hob sie die Arme und zog sich auch noch ihren Pulli über den Kopf. Ich starrte sie an und musste schlucken, Aqqaluk pfiff durch die Zähne und starrte genauso.

»Idioten«, sagte sie. »Willst du in dem stinkenden Robbenblut liegen?« Sie zog ihre Jacke wieder an, nahm den Pulli und begann, damit die Kiste von innen auszuwischen.

Aqqaluk platzte los vor Lachen und boxte mir gegen die Schulter. »Überleg's dir noch mal«, sagte er. »So eine Frau kannst du lange suchen.« Einen Moment lang sah er zu, wie Maalia vor der Kiste kniete. »Vielleicht hab ich eine Chance, wenn du weg bist«, flüsterte er mir zu.

»Halt endlich die Klappe und arbeite«, fuhr ich ihn an.

Wieder lachte Aqqaluk und dann hockten wir nebeneinander vor der Kiste, Maalia gegenüber, und stachen mit unseren Messern Luftlöcher in das Styropor. Erst als wir fertig waren, uns im selben Moment aufrichteten und uns alle drei anschauten, begriff ich, dass dies unsere letzten gemeinsamen Minuten waren. Ich sah auf die Uhr meines Handys, steckte es in die Jackentasche und holte tief Luft.

»Also dann ...«

Aqqaluk verzog sein Gesicht zu einem Grinsen, das so unglücklich aussah, dass ich den Blick abwenden musste. »Also dann ...«, wiederholte er. Er hob die Arme und ließ sie wieder sinken. »Viel Glück, Pakku. Und melde dich mal, wenn du angekommen bist.«

»Klar. Versprochen.«

Maalia machte einen Schritt auf mich zu und klopfte gegen meine Jackentasche. »Ich würde es ausschalten«, sagte sie, »normalerweise haben tote Robben kein Handy dabei.« Sie kam noch einen Schritt näher, legte mir eine Hand in den Nacken und zog meinen Kopf zu sich herab. Ihre Haare kitzelten meine Wange und ich fühlte ihre Lippen an meinem Ohr. »Du kommst wieder, Pakkutaq«, flüsterte sie. Es klang wie eine Beschwörung und wie ein Trost.

Unschlüssig stand ich da und suchte nach irgendetwas, das ich hätte sagen können. Doch ich starrte nur auf meine schmutzigen Schuhe und in meinem Kopf kreiste nichts anderes als ein seltsamer Satz, von dem ich nicht wusste, woher er kam. *Auch den Staub aus eurer Stadt, der sich an unsere Füße gehängt hat, schütteln wir ab auf euch. Auch den Staub aus eurer Stadt* … Wortlos stellte ich die Kiste in den Wagen, kletterte hinterher, stieg hinein und zog die Knie dicht an den Körper. Es passte genau. Bevor Aqqaluk und Maalia den Deckel auf die Kiste drückten, schaute ich noch einmal zum Himmel. Das Nordlicht war verweht und stattdessen flimmerten die unzähligen Sterne. Dann sah ich nichts mehr, um mich herum war es schwarz und stickig und es stank nach Blut. Dies ist mein Sarg, dachte ich. Und auf einmal fiel es mir wieder ein, wo ich den merkwürdigen Satz über den Staub gehört hatte. Der Pfarrer hatte ihn gesprochen, auf der Beerdigung einer Klassenkameradin, die in unserem letzten Schuljahr nach einer Party an ihrem Erbrochenen erstickt war. Ein Schauer lief mir über den Rücken und es kostete mich all meine Kraft, nicht nach Aqqaluk und Maalia zu brüllen. Ihre gedämpften Stimmen klangen weit entfernt.

Südwestküste Grönlands, Sommer 2020

Jonathan hatte immer noch einen galligen Geschmack im Mund, als sie die letzte der schweren Kisten mit der Sackkarre an Bord hievten. Und so nahm er dankbar das Carlsberg an, das Fridjof ihm anbot. Während er trank, entdeckte er einen Typen, der ein paar Meter entfernt auf einer Rolle Tau saß und rauchte. Offenbar hatte er ihnen bei der Arbeit zugeschaut.

»Was ist mit dem?«, fragte Jonathan Fridjof. »Warum hat der dir nicht geholfen?«

»Bandscheibenvorfall«, antwortete der Kapitän auf Dänisch. Dann wechselte er wieder ins Grönländische. »Hol mal deine Sachen. Wir fahren in einer halben Stunde.«

Jonathan reagierte nicht. Die Müdigkeit in seinen Muskeln schien auch sein Hirn lahmzulegen. Seine Gedanken hatten sich bei der Frage aufgehängt, ob es auf Kalaallisut vielleicht kein Wort für Bandscheibenvorfall gab. Vielleicht bekamen die Inuit so was normalerweise nicht.

»Nun beweg dich mal.« Fridjof stupste ihn an. Er nahm ihm die leere Bierflasche ab und warf sie über Bord. Jonathan sah ihr zu, wie sie zwischen Schiffswand und Kaimauer im Wasser dümpelte. Seine Assoziationen waren über ein paar Brücken hinweg zu Shary gesprungen. Shary mit ihrem Hinkefuß. Was sollte sie hier alleine in Nuuk, wo sie kaum etwas unternehmen konnte? Er könnte

Fridjof fragen, ob er sie mitnehmen durfte auf diese Tour. Plötzlich sehnte er sich nach ihr, obwohl er sich nicht sicher war, ob er wirklich Shary meinte. Er sehnte sich nach einem Mädchen, einer Frau, nach jemandem, der ihm den Geschmack von Bier und Erbrochenem vertrieb und seine düsteren Gedanken bannte.

Als er vorsichtig bei Fridjof anklopfte, zuckte dieser mit den Schultern. »Ist genug Platz«, meinte er. Und so rief Jonathan Shary an, die ihre Freude über seinen Vorschlag nicht im Geringsten zu verstecken versuchte. Sie zögerte keine Sekunde. »Ich packe schnell und nehme ein Taxi«, sagte sie. »Fahrt ja nicht ohne mich los!«

Eine Dreiviertelstunde später legte die Ivalu mit Jonathan und Shary an Bord ab. So wie zwei Tage zuvor auf der Alaska lehnten sie an der Reling und schauten auf die Stadt, die jetzt wie in einem Film, den man zurückspulte, kleiner und kleiner wurde. »Das ist eine eigenartige Stadt«, sagte Shary. »Wie lange hast du hier gelebt?«

Jonathan antwortete nicht. Er kannte Shary mittlerweile gut genug, um zu wissen, dass sie ihm seine Verschlossenheit nicht übel nahm. Aber er umschloss ihre Hand, die trotz des kühlen Winds warm war, und steckte sie zusammen mit der seinen in die Tasche seiner Jacke.

»Unser erster Stopp wird in Paamiut sein«, sagte er, »das sind ungefähr 170 Kilometer von hier. Wir sind bestimmt da, bevor es Abend wird.«

Eine ganze Weile standen sie wortlos nebeneinander und sahen zu, wie die graugrüne Küste an ihnen vorbeizog. Die Ivalu fuhr viel näher am Ufer entlang, als es die Alaska getan hatte. Erst jetzt nahm Jonathan die Windräder wahr, die die Häuser überragten. Sie waren nicht weiß, sondern in kunterbunten Mustern bemalt. Offenbar hatten die Grönländer ihre Begeisterung für Farben an den Flügeln und Masten der Anlagen ausgelassen.

»Hast du deinen Vater gefunden?«, fragte Shary unvermittelt.

Jonathan sah sie von der Seite an. Sie ließ nicht locker mit ihren Fragen. Sie legte ihren Kopf schief und blinzelte ihn an wie ein Kind, das etwas ausgefressen hat, sich aber trotzdem kein bisschen schuldig fühlt.

»Nein, bisher nicht«, antwortete Jonathan. »Aber kann sein, dass er jetzt in Südgrönland lebt.« Er sprach diese Sätze mit Nachdruck. So, als müsste er sich selbst überzeugen, dass es sinnvoll war, mehrere Hundert Kilometer auf einem rostigen Kahn zurückzulegen, nur weil sein Vater vor Jahren dort im Süden einen seiner verrückten Träume geträumt hatte.

»Und deine Mutter? Lebt die nicht mehr?«

Jonathan schüttelte den Kopf. Und auf einmal hatte er es so satt, alles in sich einzusperren, alles für sich zu behalten, geizig mit der Wahrheit zu sein, vorsichtig und verstockt. Genau wie dieses Land hatte sein Innerstes Risse bekommen und Sharys Fragen bohrten sich hinein und ließen seinen Panzer brüchig werden.

Den Blick auf die Küste gerichtet, begann er zu reden. Nicht von sich, aber von seinen Eltern. Mühsam holte er die wenigen Erinnerungen an das hervor, was ihm sein Vater einmal erzählt hatte, in einem ihrer wenigen wirklichen Gespräche. Er gab die Geschichte preis, als würde er den Inhalt eines Buches wiedergeben. Er erzählte

Shary, wie sein Vater auf der Suche nach dem großen Abenteuer nach Grönland gekommen war und dann herausgefunden hatte, dass man nicht einfach in Turnschuhen eine Eiswand hochsteigen kann, und wie er auf dieser missglückten Bergtour eine Frau kennenlernte und sich verliebte und im darauffolgenden Winter einen Sohn bekam und erleben musste, dass die Mutter seines Sohnes starb, bevor der Frühling kam.

»Da war er ungefähr so alt wie ich jetzt«, sagte Jonathan, »Mitte zwanzig.«

»Und was ist mit deiner Mutter passiert?«

»Mein Vater hat gesagt, die Amis hätten sie auf dem Gewissen.«

Shary zog die Augenbrauen hoch. »Was heißt das? Woran ist sie denn gestorben?«

»An einer Überdosis Heroin.«

Jonathan spürte, wie Sharys Hand sich zur Faust ballte. »Sie hat Drogen genommen, obwohl sie ein Baby hatte?«

»Scheint so.«

»Was für eine Scheiße!« Shary sah ihn mit einem Blick an, in dem Jonathan ungläubiges Entsetzen erkannte.

Ja, wie sollte Shary etwas verstehen, das er selbst nicht begriff? Das Ausmaß an Hoffnungslosigkeit und Verlorenheit, das seine Mutter erlebt haben musste, konnte er nur ahnen. Sein Vater hatte nie wirklich darüber gesprochen, wie ihr Leben in Nuuk damals gewesen war. »Wir hatten eine Wohnung in Block P«, hatte er einmal gesagt, als reiche das als Erklärung dafür aus, dass sich ein Mädchen umbringt, das gerade ein Kind zur Welt gebracht hat. Aber vielleicht reichte es tatsächlich aus, so ein Leben auf fünfundvierzig Quadratmetern, in einem Haus, in dem jeder Hundertste Bewohner dieses riesigen Landes wohnte, so ein enges, quadratisches, heimatloses Leben. Vielleicht hatte sie versucht, wegzukommen von diesem Leben, zu flüchten, genau wie er selbst. Nur dass sie einen Weg gewählt hatte, auf dem sie nicht entkommen konnte.

»Das muss schlimm für deinen Vater gewesen sein«, sagte Shary. Sie drehte sich zu Jonathan um und strich ihm mit den Fingern die Falte zwischen den Augenbrauen glatt. »Mach dir keine Sorgen. Bestimmt wird er sich freuen, dich wiederzusehen.«

Jonathan antwortete nicht. Ihm war ein Bild in den Sinn gekommen. So wie jetzt mit Shary hatte er einmal neben seinem Vater gestanden, Seite an Seite, auf einer ihrer Fahrten nach Nanortalik. Es war genau so ein milder Sommerabend gewesen, an dem die Sonne groß und glänzend über dem Meer hing und das Wasser wie geschmolzenes Gold aussah. Und plötzlich war ein riesiger Finnwal aus dem Gold aufgetaucht, nicht weit vom Schiff hatte er sich aus dem Meer erhoben, einsam und unbesiegbar, ein Wesen aus einer anderen Zeit, und die schwimmenden Eisberge hatten ihm ganz selbstverständlich Platz gemacht. Noch als das Meer längst wieder glatt und glänzend dalag, hatten sein Vater und er voller Ehrfurcht auf das Wasser geschaut, wo der Wal wieder in seine Welt hinabgetaucht war. Es war einer der schönsten Momente gewesen, die er in all den Jahren in Grönland erlebt hatte. Wie hatte er ihn so völlig vergessen können?

MS Alaska, Hafen von Nuuk, Frühjahr 2011

Mir war übel, kotzübel. Das Geschaukel der Kiste, als sie an Bord gerollt wurde, das Schwanken des Schiffes, die elende Enge, bei der ich mir die Oberschenkel in den Magen presste, der grässliche Geruch, den auch Maalias Gewische nicht hatte verhindern können. Aber das war nichts im Vergleich zu der Angst, die in mir hochkroch. Ich lauerte darauf, ob noch jemand in der Nähe war und durch irgendetwas Verdacht geschöpft hatte. Dann erstarben die Stimmen um mich herum und ich konnte endlich die Styroporkorken herausdrücken. Aber es nützte nichts. Ich bekam kaum noch Luft. Sie hatten die verdammte Kiste zwischen andere geschoben und offensichtlich noch ein paar obendrauf gestellt. So sehr ich auch drückte, der Deckel bewegte sich keinen Zentimeter. Es war stockfinster. Ich steckte fest und der Gestank der toten Robben, die hier vor mir zerstückelt und zusammengepresst gelegen hatten, machte mich wahnsinnig. Ich versuchte, an mein Taschenmesser zu kommen, doch es lag unter mir, ich kam nicht ran. Mein Gott, war ich dumm gewesen! Ich bohrte das Luftloch größer, ich zerfetzte das Styropor mit den Nägeln, aber da war nur eine weitere Styroporwand. Das Handy! Ich fingerte das Handy heraus. In meinem Kopf tobte ein Trommeltanz. Ich muss Hilfe holen, irgendjemanden anrufen! Aqqaluk! Aber wie soll Aqqa mir hier raushelfen? Sven! Er muss diesen Grönemeyer anrufen! Svens Nummer, warum passiert nichts, nur die Scheißmailbox springt an. Warum geht er denn nicht ran? Mein Herz raste und ich schrie.

Mit diesem Schrei verlor ich die Kontrolle, ich drehte durch. Ich scharrte wie ein Tier mit den Klauen, ich brüllte und würgte und röchelte, ich rang nach Luft, mein Kopf zerplatzte, mein Blut raste, ein Strudel riss mich mit sich, ein rauschendes Nordlicht, ein wildes Trommeln. Gib auf, Pakku! Komm! Ich sank tiefer und tiefer, komm, Pakku, komm … Ich flog über das Meer und das große eisige Land, immer langsamer flog ich, immer kälter wurde mir, so viel Weiß, so viel Schnee. Ich breitete die Arme aus, gleich würde ich ankommen, gleich war ich frei.

Dann schlug ich auf. Etwas riss mich zurück. Eiskaltes Wasser, Gletscherwasser. Das Rauschen im Kopf war wieder da, die Übelkeit, das Würgen. Jemand packte mich an den Schultern und schüttelte mich.

»Wake up! Wake up, verdammt noch mal!«

»Das Eis … ich hab's gesehen … lass mich …« Ich sah in ein verzerrtes weißes Gesicht, das Gesicht eines Mannes, den ich nicht kannte. Ich schloss die Augen wieder. Ich war ihm nicht dankbar. Er sollte mich in Ruhe lassen. Mir war so kalt. Warum ließ er mich nicht in Ruhe?

»Wach auf, du Scheißkerl!«

Ja, Scheißkerl. Wieder packte er mich, wieder schüttete er mir kaltes Wasser über den Kopf, sodass ich nach Luft schnappte.

»Sag was! Kannst du mich hören? Ist alles okay?« Er zog mich ein Stück vom Boden hoch. »Sieh mich an, du Idiot! Wie bist du in diese Kiste gekommen? Wer bist du?«

Ich machte die Augen auf, öffnete den Mund und brachte nur ein Flüstern heraus. »Pakku.«

Sein verschwommenes Gesicht war direkt vor meinem. »Was hast du dir dabei gedacht, du verdammter Eskimo? Bist du lebensmüde, oder was?«

»… nach Hamburg.«

»Du willst nach Hamburg? Als Leiche, oder was? Steh auf!« Er gab mir einen Tritt. Ich hob den Kopf und starrte in einen Himmel aus weißlichen, lang gezogenen Schweinen und blutigen, von Haken durchbohrten Rinderhälften. Wir waren in einem Kühlraum und es war so kalt, dass mir die Zähne aufeinanderschlugen und meine Lippen zitterten. Als ich aufstand, sackten mir die Beine weg und ich hielt mich an einem der gefrorenen Schweine fest, um nicht hinzufallen. Der Mann packte mich wieder beim Arm, zog mich mit sich, öffnete die Metalltür und schleifte mich in einen anderen Raum. Er ließ mich los und ich schleppte mich zu einer Kiste, wo ich sitzen blieb.

»Wie bist du da reingekommen? Hat Sven mir das eingebrockt? Das wird er mir büßen!« Die Stimme des Mannes hämmerte auf mich ein. Wenn er mich nur einen einzigen Moment in Ruhe lassen würde.

»Nun rede endlich! Du sprichst doch Deutsch! Du bist doch der Typ, den Sven engagiert hat, oder? Steckt Sven hinter diesem Mist?«

Sven? Ich hatte ihn angerufen, oder nicht? … Hatte er tatsächlich Hilfe geschickt? Erst jetzt merkte ich, dass meine linke Hand immer noch das Handy umklammerte. Ich atmete tief durch und sah den Mann an, der da an der Tür lehnte. Auf einmal wusste ich, wer das war. Es war dieser Grönemeyer, mit dem Sven seine Geschäfte machte.

Ich schüttelte müde den Kopf. »Er hat nichts damit zu tun. Ich hab ihn aus der Kiste angerufen, damit Sie mich rausholen.«

Der Mann setzte sich auf ein Plastikfass und rieb sich mit seiner fleischigen Hand die Stirn. In diesem Moment ging ein Vibrieren durch das Schiff, ein Dröhnen und Stampfen. Wir schauten uns an und ich konnte erkennen, was er dachte. Es war zu spät. Das Schiff war dabei abzulegen. Es würde lange dauern, bis einer von uns Sven wieder zu Gesicht bekommen würde.

Ich drückte auf Wahlwiederholung. »Sven«, sagte ich, als die Mailbox ansprang. »Alles okay. Vergiss den Anruf.«

Grönemeyer schnappte mir das Handy aus der Hand. »Vergiss den Scheißtypen, Sven«, zischte er. »Ich schmeiß ihn über Bord, sowie wir auf See sind, das sag ich dir.« Er warf mir mein Handy zu, stand auf, holte eine Flasche Wasser aus einer der Kisten und reichte sie mir. »Hier, trink. Ich hab jetzt zu tun, ich kann wegen so einer Ratte wie dir nicht ewig hier rumsitzen.«

Ich sah ihn fragend an. Was passierte jetzt mit mir? Was hatte er vor? Er würde mir nicht wirklich was tun, oder? Nicht dieser Typ mit seinem Bernhardinergesicht.

»Du bleibst hier drin, bis wir in Hamburg sind. Zu trinken hast du genug und da hinten werden Äpfel gelagert.« Er stand schon in der Tür, als er sich noch mal umdrehte. »Du weißt, dass ich dich eigentlich dem Kapitän melden muss? Und dann sitzt du in vier Tagen im nächsten Flugzeug und den Rest deines armseligen Lebens zahlst du die Schulden ab.«

»Ja, ich weiß.«

»Du hörst es rechtzeitig, wenn jemand kommt. Mach sofort das Licht aus und versteck dich hinter den Lüftungsrohren, kapiert?«

»Kapiert ...«

Er kam noch einmal auf mich zu und beugte sich zu mir runter, so dicht, dass ich seinen faden Atem riechen konnte. »Lass dich ja nicht erwischen!«, sagte er, dann ging er, zog die Tür hinter sich zu und ich hörte, wie er zweimal den Schlüssel herumdrehte. Ich war gefangen. Gefangen, aber auch in Sicherheit. Ich hatte ein Riesenglück gehabt. So langsam begriff ich, dass ich diesem Herrn Grönemeyer mein Leben verdankte und meine Freiheit. Aber ich wusste auch, warum er mich nicht auffliegen ließ. Er hatte Angst, dass sein kleiner Handel mit Sven dann ganz genauso hochgehen würde. Ja, ich hatte ihn mindestens so in der Hand wie er mich.

Südwestküste Grönlands, Sommer 2020

Nachdem sie im Hafen von Paamiut geholfen hatten, einen Teil der Kisten an Land zu schleppen, hatte Jonathan vor, sich den Ort anzuschauen. Doch Fridjof wollte sofort weiterfahren; er wollte noch in der Nacht bis Qaqortoq kommen. Jonathan hatte lediglich Zeit, um zum Brugsen zu laufen, ein paar Sandwiches zu kaufen und die Frau an der Kasse nach Peter Wildhausen zu fragen. Paamiut war klein, deutlich kleiner als Nuuk, keine zweitausend Menschen lebten hier. Und wenn es einen Ort gab, wo man seinen Vater kannte, dann war es sicher der Supermarkt. Doch die Kassiererin konnte sich nicht erinnern, seinen Vater gesehen zu haben, einen circa fünfzig Jahre alten Deutschen, groß und blond oder auch grauhaarig, wahrscheinlich Alkoholiker. Erst jetzt wurde sich Jonathan bewusst, dass er keinen Zweifel daran hatte, wie es seinem Vater heute gehen würde.

Auf dem Rückweg zum Hafen sah Jonathan die Wohnblocks, die sich vor dem hellen Abendhimmel abzeichneten. Hässliche Klötze, wie jene, in denen Aqqaluk und Maalia gewohnt hatten. Sie schienen nicht mehr bewohnt zu sein. Mit blinden Fenstern und zugenagelten Eingangstüren standen sie als trostlose Ruinen mitten im Ort. Jonathan war froh, nicht in Paamiut bleiben zu müssen.

Als sich die Ivalu ihren Weg durch das Labyrinth von

winzigen nackten Felsinseln suchte, saßen Jonathan und Shary auf einer der Kisten und aßen ihre Sandwiches. Fridjof hatte ihnen ein paar Decken gebracht und Bier hingestellt, sich danach aber zu seinem Kumpel in die Kajüte verzogen. Der immer noch goldrot gleißende Himmel war den beiden Männern keinen Blick wert, dafür hatten sie das Schauspiel schon zu oft erlebt. Es war mittlerweile spät geworden und sie würden sicher erst gegen Mitternacht in Qaqortoq ankommen. Hier in Grönland verschwammen die Grenzen zwischen Tag und Nacht. Obwohl Jonathan nach der Schlepperei erschöpft war, verspürte er keine Müdigkeit. Shary hingegen rollte sich nach dem Essen auf der Kiste zusammen, die Surroundmütze über den Ohren und den Kopf auf seinem Schoß, und schloss die Augen.

Auch Jonathan musste durch das Schaukeln des Schiffes eingeschlafen sein, denn als er hochschaute, spannte sich ein sternenbesprenkelter Himmel über dem Meer. Er war starr vor Kälte, genau wie Shary. Der Kapitän bot ihnen an, den Rest der Nacht in der Kajüte zu verbringen, und Jonathan war zu müde, um sich an der Enge und stickigen Luft in dem winzigen Raum zu stören. Dicht aneinandergeschmiegt schliefen Shary und er unter einer alten Felldecke in der Koje der Ivalu weiter.

Als sie aufwachten, lag das Schiff bereits im Hafen von Qaqortoq. Fridjof hatte wohl schon jemand anders für den Abtransport der Kisten gefunden und war im Ort unterwegs, um ein paar Geschäfte zu erledigen, wie ihnen sein Kumpel erzählte. Die Ivalu sollte erst am Nachmittag nach Nanortalik weiterfahren.

Jonathan war gespannt auf Qaqortoq, die größte Stadt Südgrönlands, in der allerdings gerade einmal 3500 Menschen lebten. Es galt als die Bildhauerhochburg Grönlands. Vor gut fünfundzwanzig Jahren hatten hier Künstler aus Nordeuropa gelebt und die Felswände im Ort bearbeitet. Er war in Hamburg einmal zu einem Vortrag gegangen, um einen der Bildhauer über das Projekt reden zu hören, und hatte ihm mit Beklemmung zugehört. Es war das einzige Mal gewesen, dass er so etwas wie Sehnsucht nach dem Land seiner Jugend zugelassen hatte.

Als er jetzt mit Shary vor den steinernen Masken, Tieren und Fabelwesen stand, war ihm so deutlich wie nie bewusst, dass er den richtigen Beruf für sich gefunden hatte. Einen Beruf, der keiner Sprache bedurfte und in dem er ausdrücken konnte, wo er herkam und was ihn geprägt hatte, ohne Fragen beantworten zu müssen.

»Die Künstlerin, die als Erste hier Bilder in die Felsen gehauen hat, heißt Aka Høegh«, erklärte er Shary. »Sie hat als Kind in Qaqortoq gelebt. Von klein auf hat sie in den Steinen Gesichter und Figuren gesehen.«

»Ist dir das auch so gegangen?«

Jonathan stieß die Luft durch die Nase aus. »Es gab Zeiten, da hab ich all das Grau und die vielen Steine gehasst. Und später hab ich damit angefangen, auf die Steine einzuklopfen, als wären sie schuld daran, dass ich von hier wegwollte.«

»Ich hab mich dagegen immer nach Grönland gesehnt«, sagte Shary. »Meine Eltern haben mir oft vorm Einschlafen Geschichten erzählt. Sie wollten, dass ich die Mythen unseres Volks kennenlerne. Ich fand es schön, dass alles in der Natur eine Seele haben soll und dass die Seele des Menschen nach dem Tod weiterlebt, im Himmel oder im Meer oder über den Wolken.« Sie holte ihren Pocketpower aus der Tasche und machte ein paar Fotos von den Steinbildern. »Das wird meinen Eltern gefallen«, meinte sie. »Weißt du, sie wohnen in Kopenhagen mitten in der Stadt. Sie leben gerne dort, aber ich glaube, sie haben immer noch Sehnsucht nach Grönland, nach dem Schnee und sogar nach der Kälte ... Meinst du, dein Vater hatte auch Heimweh nach Deutschland?«

»Weiß nicht.« Jonathan zuckte die Schultern.

»Sollen wir mal losziehen und uns nach ihm erkundigen?« Shary hakte sich bei ihm unter. Sie hatte ihre Krücke an Bord gelassen und humpelte mittlerweile nicht mehr so stark.

»Ich denke eigentlich, er ist in Nanortalik. Ich glaube nicht, dass wir ihn hier finden.«

Jonathan sollte recht behalten. Auch in Qaqortoq trafen sie auf niemanden, der Peter Wildhausen kannte. Als sie den letzten Supermarkt abgeklappert hatten, nahmen sie ein Päckchen Fischfrikadellen mit und setzten sich damit an den Fjord. Jonathan half Shary, auf einen Felsstein zu klettern, der kaum kleiner als die bunten Holzhäuser des Ortes war. Eine Möwe zog neugierig einen Bogen über ihre Köpfe hinweg und Jonathan warf ihr den Rest seiner Frikadelle zu. In der Mittagssonne war es fast schon heiß und sie zogen ihre Jacken und Pullover aus und legten sich in T-Shirts auf den warmen Stein, Shary mit dem Kopf auf Jonathans Bauch. Es war ein nahezu perfekter Tag. Das einzig Störende waren die Mücken. In einer dichten Wolke hingen sie über dem Felsen und es war sinnlos, mit den Armen in der Luft herumzurudern, um sie zu verscheuchen.

Als Shary zum x-ten Mal gestochen worden war, richtete sie sich auf. »Das ist Folter«, sagte sie. »Jetzt weiß ich auch, warum meine Mutter gesagt hat, ich soll mir unbedingt einen Mückenhut kaufen.« Sie rutschte auf dem Hintern den Stein hinunter und landete auf einem Bein. »Ich hab vorhin welche im Schaufenster gesehen.«

Im Outdoorshop ließen sie sich Mückenhüte, Insektenspray und ein Moskitonetz für die Nacht geben. »Die kleine Grundausstattung«, meinte der Verkäufer. »Sonst werdet ihr aufgefressen.« Er schnipste eine Mücke von seinem nackten Unterarm. »Du kannst allem entkommen«, sagte er und klopfte auf die Zeitung auf seinem Tresen, die von der anhaltenden Dürre in Europa berichtete, »der Trockenheit, den Überschwemmungen, den größten Katastrophen. Nur den Mücken nicht.« Mit der flachen Hand zerklatschte er eine spinnenbeinige Mücke auf der Zeitung und lachte. »Nun gut, die hat jetzt Pech gehabt. Aber im Großen und Ganzen sind sie unschlagbar. Man hat Insektenfossilien gefunden, die 350 Millionen Jahre alt sind, wusstet ihr das?« Dann erzählte er stolz von den Bienen, die er seit ein paar Jahren züchtete, und von seinem Honig, der besser wäre als alle Importware.

Shary stülpte sich und Jonathan die unförmigen Hüte über den Kopf und bat den Verkäufer, sie zu fotografieren. Lachend schauten sie hinter ihren weißen Schleiern in das Kameraauge von Sharys Pocketpower. »Zwei Imker in Grönland« nannte sie das Foto, das sie zusammen mit den Steinbildern an ihre Eltern schickte. Jonathan kam diese Begegnung wie ein Omen vor, das er nicht zu deuten wusste.

»Vielleicht hat mein Vater ja doch so etwas wie Heimweh gehabt«, sagte er, als sie Richtung Hafen gingen. »Er hat davon geträumt, der erste Imker Grönlands zu werden. In der großen Reisetasche schleppe ich eine Honigschleuder mit mir rum, so ein Monster aus Aluminium. Wahrscheinlich ein total idiotisches Geschenk. Wenn er sich nicht komplett geändert hat, kann er sich nicht einmal mehr an seinen Traum erinnern.«

Fridjof hatte schon auf sie gewartet und die Ivalu legte ab, kaum dass Jonathan und Shary an Bord waren. Wie am Tag zuvor war es ein milder, sonnendurchfluteter Spätnachmittag und Jonathan und Shary ließen sich wieder auf ihrer Kiste nieder. Shary holte ein Buch aus ihrem Rucksack. Doch Jonathan hatte keine Lust zu lesen. Seit dem Gespräch im Outdoorladen spürte er eine prickelnde Unruhe in sich. Das Gefühl, noch etwas erledigen zu müssen. Als er sich seine Jacke überzog und in die Tasche fasste, hatte er den großen glatten Kiesel in der Hand, den er auf dem Friedhof von Nuuk aufgehoben hatte. Das war es!

Mit einem Kribbeln in den Fingern legte er den Stein auf die Kiste und holte aus seinem Gepäck das Etui mit dem Werkzeug, das er immer dabeihatte. Er wählte den feinsten Meißel und den kleinen Hammer aus. Dann setzte er sich abseits von Shary auf den Boden und begann mit der Arbeit. Er arbeitete konzentriert, ohne einmal aufzuschauen. Keine zwei Stunden brauchte er, dann hatte er ein Insekt in den Kiesel gemeißelt. Ein Insekt, das wie eine fossile Biene aussah, die in einem versteinerten Spinnennetz hing. Und ohne nachzudenken, wusste er, wie die winzige Skulptur heißen würde, so paradox der Name im ersten Moment auch sein mochte: Du kannst allem entkommen.

Eine Ewigkeit hatte er nicht mehr an Spider gedacht, an den Fremden, der sein Leben auf den Kopf gestellt hatte. Doch jetzt war die Erinnerung an die einsamen Stunden, in denen er die Würfel hatte rollen lassen und mit Spider gechattet hatte, wieder lebendig. Sein Zimmer mit der dünnen Holzwand, hinter der sein Vater hustete und fluchte. Der bläulich leuchtende Bildschirm. Spider, irgendwo in Deutschland, der große Unbekannte. Die erste Zeit in Hamburg hatte er sogar von ihm geträumt, diffuse Träume, die mehr aus Gefühlen als aus Bildern bestanden, und dann war er irritiert und voller Wut aufgewacht. Aber inzwischen hatte er längst verstanden, dass Spider nur das Netz gesponnen hatte. Hineingeflogen war er von allein.

MS Alaska, Deutsche Bucht, Frühjahr 2011

Ein paar Mal war ich drauf und dran loszubrüllen. Ich rannte in dem Lagerraum hin und her und biss mir auf die Faust, um nicht zu schreien. Grönemeyer hatte das Licht angelassen, so ein gnadenlos flackerndes Neonlicht, das mich schon in Svens Schuppen fertiggemacht hatte. In jeden Winkel meines Gefängnisses drang es, genauso wie das Dröhnen der Schiffsmotoren. Ich fand keine Ruhe, ich konnte nicht schlafen, mein Herz schlug ständig auf Hochtouren. Aber als ich das Licht ausschaltete und plötzlich in absoluter Dunkelheit stand, hielt ich es keine dreißig Sekunden aus. Die Angst fiel mich wie ein Raubtier an, die Angst, in einen Sarg gesperrt zu sein und elendig zu ersticken. Selbst der Gestank der toten Robben, der in meinen Klamotten saß, wurde plötzlich lebendig, sodass mir übel wurde. Und so ließ ich das Licht an und starrte auf die Getränkekisten, die sich bis zu der niedrigen Decke stapelten, und versuchte, sie zu zählen, um nicht durchzudrehen. Ich wollte nicht schreien. Um nichts in der Welt wollte ich entdeckt werden, nur weil mir die Nerven durchgegangen waren.

Das Gefühl für Zeit war mir abhandengekommen. Der Akku meines Handys war leer und in dem fensterlosen Raum konnte ich nicht erkennen, ob es Tag oder Nacht war. Ich aß von den Äpfeln, die in den Kisten an der Wand gelagert wurden. Wenn ich Durst hatte, trank ich Wasser oder Limonade. Wenn ich pinkeln musste, tat ich das in die leeren Flaschen hinein, die ich wieder zuschraubte und in die Kiste zurückstellte. Bei der Vorstellung, dass irgendwann einem der feinen Passagiere meine Hinterlassenschaft serviert werden würde, brach ich in ein irres Kichern aus, das ich nur stoppen konnte, weil Schritte auf der Metalltreppe zu hören waren. Die Schritte draußen, durch die ich aufgescheucht wurde, waren meine einzige Abwechslung. Jedes Mal, wenn ich jemanden hörte, verkroch ich mich schnell wie eine Ratte in meinem Versteck hinter den Lüftungsrohren. Doch niemand ließ sich hier unten in der Vorratskammer blicken. Nur Grönemeyer kam ein paarmal, um Getränke oder Äpfel zu holen. Ich konnte ihn durch den Spalt zwischen den beiden Rohren erkennen. Er tat so, als wüsste er nichts von meiner Existenz, keinen einzigen Blick warf er in meine Richtung.

Irgendwann packte ihn wohl ein Anfall von Menschlichkeit. Als er mir die Tür aufschloss, muss es mitten in der Nacht gewesen sein, denn er schien keine Angst zu haben, dass uns jemand sehen könnte. Er ließ mich auf die Toilette gehen, die am anderen Ende des Ganges war. Auf dem Rückweg holte er mir Milch in einem klobigen angeschlagenen Becher und zwei Scheiben Brot mit Käse. Während er mir zusah, wie ich das Zeug verschlang, erzählte er mir, dass ich in Nuuk gesucht wurde. Er hatte im Internet den grönländischen Sender KNR geschaut, wo sie über einen Siebzehnjährigen berichtet hatten, der seit drei Tagen als vermisst galt. Seit drei Tagen? So lange waren wir also schon unterwegs. Es konnte nicht mehr als einen Tag dauern, bis die Alaska in Hamburg ankam.

»Ich bring dich in einer der Kisten von Bord. Und dann will ich nie wieder was von dir hören, weder in Deutschland noch in Grönland noch sonst irgendwo auf der Welt!«

»Klar«, sagte ich. »Nie wieder.« Ich war ihm wirklich dankbar, dass er mich nicht verraten hatte, auch wenn ich wusste, dass er das für sich und nicht für mich tat.

Als Grönemeyer wieder abgezogen war und die Tür hinter sich verschlossen hatte, rannte ich die zweieinhalb Meter hin und her, die zwischen den Kisten Platz waren. Höchstens einen Tag noch! Einen einzigen langweiligen Tag nur noch, dann würde ein völlig neues Leben beginnen. In Hamburg, in Deutschland. Ich versuchte, mir dieses Leben auszumalen, aber es ging nicht. Meine Vorstellungskraft endete an der hellgrauen Stahltür, die mich hier drinnen vom Rest der Welt trennte. Selbst meine Erinnerungen funktionierten nicht. Da kamen keine Bilder mehr, kein grönländischer Himmel, kein Nordlicht, auch Aqqaluk und Maalia nicht, alle Dateien schienen durch die Monotonie meines Gefängnisses gelöscht zu sein.

Die Schritte auf der Treppe hörte ich viel zu spät. Ehe ich bei den Lüftungsrohren war, verstummten sie und der Schlüssel klackte im Schloss, einmal, zweimal. Ich betete, dass es Grönemeyer war. Vielleicht wollte er den Becher wieder mitnehmen, der noch auf dem Boden stand, damit ihn nicht aus Versehen jemand hier herumstehen sah. Bitte, lass es Grönemeyer sein!

Ich sah, wie die Klinke heruntergedrückt wurde. Dann ging die Tür auf. Doch es war nicht Grönemeyer, der da vor mir stand. Es war ein Junge in der dunkelblauen Uniform der Alaska, ein Junge, nicht viel älter als ich. Die Tür fiel hinter ihm ins Schloss.

»Was machst du hier?«, fragte er.

»Was machst *du* hier?« Ich wiederholte seine Frage, vielleicht übernahm ich sogar den weichen Akzent, mit dem er Englisch gesprochen hatte. Ich wollte ihn nicht nachmachen oder hochnehmen. Mir fiel vor lauter Schreck nur nichts anderes ein.

»Ich will Servietten holen.« Der Junge sah mich misstrauisch an.

»Servietten?«

»Ja. Papierservietten.«

Ein paar Sekunden standen wir uns stumm gegenüber und in diesen Sekunden erkannte ich, dass er langsam begriff, wen er da vor sich hatte. Jemanden, der Angst vor ihm hatte. Angst, entdeckt zu werden. Einen blinden Passagier. Er machte einen Schritt zurück, sodass er mit dem Rücken an der Tür stand.

»Wie bist du hier reingekommen?« Seine Stimme klang unsicher. Wie die eines Typen, der es gewohnt war, herumkommandiert zu werden und Fragen zu beantworten, anstatt selbst welche zu stellen. Ich konnte geradezu riechen, dass auch er Angst hatte, vielleicht weil er nicht wusste, was er tun sollte. Ich antwortete nicht, ich wagte kaum zu atmen, und wir belauerten uns wie Boxer vor dem ersten Angriff. Seine schmalen schwarzen Augen waren ausdruckslos und trotzdem war es, als könne ich seine Gedanken lesen. Als er die Lippen zusammenpresste und den Blick senkte, wusste ich, was er dachte. Er würde mich nicht gehen lassen. Er hatte sich entschlossen, mich zu verraten. Die Erkenntnis, dass er mir alles versauen würde, jetzt, wo wir beinahe in Deutschland waren, traf mich wie ein Schlag in den Magen.

Ich handelte, ohne nachzudenken. Ich stürzte mich auf ihn, um ihn von der Tür wegzustoßen, um rauszukommen, zu fliehen, abzuhauen. Doch ich war zu langsam. Die endlosen Stunden hier unten hatten mich mürbe gemacht. Er wich mir aus, packte mein Handgelenk, und bevor ich kapierte, was passierte, lag ich am Boden, mit verrenktem Arm, das Gesicht auf dem kalten Metall, die spitzen Knie des Jungen im Rücken. Ich hörte seinen hektischen Atem über mir.

»Du kommst mit. Du kommst mit mir zum Kapitän!«

Ich versuchte, mich umzudrehen, aber er hatte mich in der Zwinge. Er kugelte mir fast den Arm aus. »Lass mich gehen.« Ich wollte nicht betteln, aber ich tat es trotzdem, ich winselte wie ein kleines Kind. »Bitte!«

Der Druck ließ nach, ein bisschen nur, aber es reichte, dass ich meinen Arm losreißen und mich auf den Rücken wälzen konnte. Der Junge reagierte sofort, er griff nach meinen Handgelenken, kniete links und rechts auf meinen Oberarmen und drückte zu. Er war jetzt über mir, die glatten schwarzen Haare hingen ihm ins Gesicht. Er schleudert sie mit einer schnellen Kopfbewegung nach hinten.

»Du hast keine Chance«, sagte er und es klang wie eine Feststellung, völlig ohne Spott, so wie Aqqaluk es immer gesagt hatte bei unseren Ringkämpfen im Schnee. Doch dies hier war kein Spiel, es ging um mein Leben, um mein ganzes verdammtes Leben.

Du hast keine Chance, Pakku. Du schaffst es nicht. Du wirst es niemals schaffen. Es war so verdammt wahr, dass mir schlecht vor Enttäuschung wurde. Ich schluckte das gallige Zeug runter, das mir in der Kehle brannte. Was hatte dieser Mistkerl davon, wenn er mich verriet? Warum konnte er nicht einfach so tun, als hätte er mich nicht gesehen?

Ich starrte zu ihm hoch, in sein braunes, glattes Gesicht. Erst jetzt nahm ich wahr, dass er kein Grönländer war, so wie ich im ersten Moment gedacht hatte. Nein, er war so ein asiatischer Kung-Fu-Typ. Auch Aqqaluk hätte gegen den nichts zu melden gehabt. Ich konnte nur versuchen, ihn zu überreden, mich nicht zu verraten. »Warum lässt du mich nicht gehen? Es kann dir doch egal sein, was ich mache.« Ich schaffte es, nicht zu stöhnen, obwohl er mir fast die Oberarme zerquetschte.

»Ist mir auch egal«, sagte er in seinem Pidgin-Englisch. »Aber das ist Chance für *mich*. Wenn ich gute Arbeit mach, krieg ich vielleicht festen Job.«

Gute Arbeit! Das hieß, wenn er mich beim Kapitän verpfiff! Dieser miese Verräter! Heiße Wut wallte in mir auf. Ich riss die Beine hoch und rammte ihm die Knie in den Rücken. Das ist *meine* Chance, kapierst du? Ich werde es schaffen! Ich! Pakkutaq Wildhausen! Ich trampelte und bäumte mich auf, gegen den Scheißtypen und gegen das Scheißschicksal, hatte plötzlich einen Arm frei, hatte etwas in der Hand, das am Boden gelegen hatte, und schlug zu, einmal, zweimal, ich weiß nicht, wie oft. Ich traf den Jungen am Hinterkopf. Er hockte immer noch auf mir drauf, riss Mund und Augen mit einem Ausdruck auf, als wollte er mich warnen, und dann sackte er zur Seite und gab meine Beine frei. Ich hatte ihn erschlagen, ich hatte ihn mit dem Becher erschlagen, Milch rann mir über das Handgelenk wie weißes Blut und ich schaute den Jungen an, wie er da mit dem Gesicht auf dem Boden lag, so wie gerade eben noch ich dort gelegen hatte, die schwarzen Haare wie ein Tuch über dem Gesicht. Er bewegte sich nicht mehr und ich wusste, dass ich ihn getötet hatte. Ich hatte das nicht gewollt. Ich wollte doch nur nicht zurückgeschickt werden. Ich wollte doch nur eine Chance haben, eine Chance auf mein eigenes Leben.

Nanortalik, Südspitze Grönlands, Sommer 2020

Jonathan hatte über seiner Arbeit gar nicht mitbekommen, dass die Ivalu bereits auf Nanortalik zusteuerte, durch eine Schärenlandschaft aus unzähligen Felsinselchen. Damals, als er mit seinem Vater unterwegs gewesen war, hatte es Heerscharen von Eisschollen gegeben, die der Polarstrom die Küste entlanggetrieben hatte. Aber heute war das Meer eisfrei. Neugierig schaute Jonathan zum Ort. Er schien sich längst nicht so wie Nuuk verändert zu haben. Abgesehen von einigen wenigen Neubauten sah er immer noch wie ein beschauliches Fischerdorf aus. Plötzlich konnte sich Jonathan nicht vorstellen, dass sein Vater in diesem Nest hängen geblieben sein sollte.

»Ich bin kurz vorm Verhungern«, sagte Shary, als sie anlegten. »Meinst du, wir finden noch ein Lokal, das aufhat?« Sie hatte schon ihren Rucksack geschultert.

Jonathan sah fragend von Fridjof zu den verbleibenden zwei Kisten. Der Kapitän gab ihm ein Zeichen zu verschwinden. Dankbar schulterte Jonathan seine beiden Reisetaschen und verließ hinter Shary die Ivalu.

In der Nähe des Hafens entdeckten sie ein billiges Hotel, wo sie nur kurz ihr Gepäck abstellten, um dann essen zu gehen.

»Es gibt ein gutes Fischrestaurant«, sagte die Hotelbesitzerin, »da kriegt ihr bestimmt noch was.«

Das Restaurant, das sie meinte, schien eines von der besseren Sorte zu sein. Es hatte weiß gedeckte Tische und einen goldenen Fisch über der Tür. Jonathan stutzte. Das musste eines von Sven Kristiansens Fischrestaurants sein, von denen Anga ihm erzählt hatte. Er war sich nicht sicher, ob er ausgerechnet dort hingehen wollte. Doch Sven besaß mehrere Lokale; warum sollte er gerade jetzt in Nanortalik sein? Jonathan konnte der Versuchung nicht widerstehen, mit eigenen Augen zu sehen, was sich Sven in den vergangenen Jahren aufgebaut hatte. Und so drückte er die Klinke hinunter und betrat mit Shary das Lokal. Neugierig schaute er sich um.

Sie standen in einem hellen Raum mit einer Theke, hinter der eine beeindruckende Batterie Alkoholika aufgereiht war. Die junge Grönländerin hinter dem Tresen nickte ihnen zu und deutete auf einen freien Tisch. Von Sven war nichts zu sehen. Jonathan schob Shary auf den Tisch zu, setzte sich mit dem Rücken zur Wand und entspannte sich ein wenig. Es war, wie er geahnt hatte: Der Chef war nicht da. Vermutlich hatten sich Svens Methoden nicht wesentlich geändert. Er kassierte den Gewinn, die Arbeit machten die anderen. Plötzlich kam ihm die Erinnerung an den eisigen Krabbenschuppen so deutlich, dass er den fischigen Gestank zu riechen glaubte.

Shary bestellte die halbe Speisekarte, doch Jonathan hatte keinen großen Appetit, schon gar nicht auf Fisch. Er nahm lediglich einen Teller Spaghetti und ein großes Bier.

Sie waren schon beim Nachtisch, als es ihm vorkam, als ob er beobachtet wurde. Er stellte seine Cappuccinotasse ab und drehte den Kopf in die Richtung, aus der er den prüfenden Blick zu spüren glaubte. In dem Gang, der zu den Toiletten führte, stand ein Mann und schaute zu ihm hinüber. Ein stämmiger, muskulöser Mann in seinem Alter, braun gebrannt, mit dichten dunklen Haaren, in Jeans und weißem T-Shirt. Jonathan erkannte ihn mehr an seinem Gesichtsausdruck als an seinem Äußeren. Wie in Zeitlupe schüttelte der Mann den Kopf, mit einem ungläubigen, kindlichen Staunen im Blick, so wie er es früher gemacht hatte, wenn sein Freund Pakku irgendetwas getan hatte, das ihm übertrieben vorgekommen war.

Jonathan erhob sich und stand da, als warte er auf das Stichwort eines Regisseurs, der ihm in seiner Unfähigkeit zu handeln weiterhalf. Ein paar Sekunden verstrichen, in denen die Zeit zurückzuspringen schien. Er sah einen Jungen vor sich, gerade siebzehn Jahre alt, seinen besten Kumpel, dessen weiches, offenes Gesicht ihm vertrauter war als jedes andere auf der Welt. Dann war das Bild verschwunden, er räusperte sich und ging auf den Mann zu, im selben Moment, in dem dieser ein paar Schritte auf ihn zu machte.

»Aqqaluk.«

Der Mann antwortete nicht. Wieder schüttelte er langsam den Kopf. In seinen schwarzen Augen las Jonathan eine Fassungslosigkeit, die über den Schreck des plötzlichen Wiedersehens hinausging. Und noch etwas erkannte er in Aqqaluks Gesicht, etwas, das sich ausbreitete wie der Schatten einer Wolke, die näher kam und alles verdüsterte.

Er hat Angst vor mir, dachte Jonathan. Er braucht doch keine Angst zu haben.

Unzählige Male hatte sich Jonathan diese Begegnung vorgestellt, seitdem er die Küste Grönlands hatte auftauchen sehen. Anders als bei dem Gedanken an das Wiedersehen mit seinem Vater, bei dem seine Fantasie versagte, hatte er Erklärungen formuliert, Selbstvorwürfe, Versuche der Rechtfertigung und der Abbitte. Glaub mir, Aqqaluk, ich wollte mich bei dir melden, jeden Tag wollte ich es, doch ich habe es nicht geschafft. Ich habe es mir nicht erlaubt zurückzuschauen, weil ich all meine Kraft für das fremde Land und das fremde Leben gebraucht habe. Für diesen Irrweg, der da plötzlich zu meinem Weg geworden war. Du wärst der Einzige gewesen, dem ich alles erzählt hätte. Aber das, was auf diesem Schiff passiert ist, hat mich verstummen lassen. Mit niemandem habe ich darüber gesprochen, nie, zu keiner Zeit. Niemand wusste, wer ich wirklich war, und irgendwann habe ich es selbst kaum noch gewusst. Von dem Moment an, als ich im Hamburger Hafen die Alaska verließ, habe ich mich daran geklammert, Jonathan Querido zu sein, und du, Aqqaluk, hast nicht mehr zu meinem Leben gehört, sosehr ich dich auch gebraucht hätte. Alles hatte er schon hundertmal durchgespielt. Aber als ihm Aqqaluk plötzlich gegenüberstand, hatte Jonathan nur einen Gedanken: Er soll mich nicht Pakku nennen, nicht vor Shary.

Noch ehe Aqqaluks Unglauben in so etwas wie Wiedersehensfreude umschlagen konnte, noch ehe er Zeit hatte, den Mund zu öffnen, glaubte Jonathan schon das eine kurze Wort zu hören, die zweite Silbe fragend nach oben gezogen, er sah es durch die Luft schweben wie ein seltenes Insekt, das nicht einzufangen war. *Pakku?*

Es musste etwas in Jonathans Augen aufgeblitzt sein, das sein Gegenüber davon abhielt, die zwei Silben auszusprechen. Oder fühlte Aqqaluk etwa Scheu, diesen Namen zu nennen, den Namen eines Toten, der doch in einem Grab auf dem Friedhof von Nuuk lag?

»Das gibt es nicht«, sagte Aqqaluk schließlich, als sie sich so nahe waren, dass sie einander hätten berühren können. Und dann tippte er tatsächlich mit dem Finger gegen Jonathans Brust.

Jonathan antwortete leise und hastig. »Doch. Doch das gibt es, Aqqaluk. Ich bin es wirklich, aber ich habe einen anderen Namen, ich erkläre es dir später.« Er warf einen Blick zu Shary zurück, die an dem Tisch mit ihrem ausgelöffelten Eisbecher sitzen geblieben war und interessiert zu ihnen hinübersah. »Sie kennt mich als Jonathan.«

Die Augen argwöhnisch auf sein Gegenüber gerichtet, als erwartete er, dass sich das Trugbild vor ihm gleich in Nichts auflösen würde, verschränkte Aqqaluk die Arme vor der Brust, so wie Jonathan es schon unzählige Male bei ihm gesehen hatte, die Fäuste hoch unter die Achseln geschoben. Nie war ihm diese Bewegung bewusst aufgefallen, doch jetzt, nach all den Jahren, erkannte er sie wieder wie eine vertraute Melodie. »Jonathan also«, sagte Aqqaluk, zuckte die Schultern und löste die Arme, als ergäbe er sich in ein Schicksal, das er nicht ändern konnte.

Dann saßen sie sich gegenüber und die Kellnerin stellte ihnen auf ein Zeichen von Aqqaluk Whisky hin. Bevor Aqqaluk ihm Fragen stellen konnte, erzählte Jonathan von der geänderten Kreuzfahrtroute, die ihn zufällig nach Grönland gebracht hatte, skizzierte sein Leben in Hamburg und dass er als Steinmetz arbeitete, aber hoffte, als Bildhauer leben zu können. Aqqaluk gab Anekdoten von seiner Arbeit als Restauranttester zum Besten, einer Arbeit, die offenbar nur aus Reisen, Freibier und Menüs auf Svens Kosten bestand. Sie redeten miteinander in dem höflichen Tonfall zweier Männer, die sich als Jungs einmal gekannt hatten und sich nun darüber austauschten, was aus ihnen geworden war. Nach einer Weile schmerzten Jonathan die Kiefermuskeln von dem eingefrorenen Lächeln, das er aufgesetzt hatte. Die Whiskys, die die Kellnerin ihnen brachte, trank er viel zu schnell, genau wie Aqqaluk.

»Ich kann keinen Fisch mehr sehen. Aber zum Glück gibt es ja Whisky, mit dem man das Zeug runterspülen kann!« Aqqaluk hob lachend sein Glas. Shary, die neben ihm saß, lachte mit. Sie spürte offenbar nicht, wie unecht dieses Lachen war, wie nervös und unsicher, und sie schien auch die fragenden Blicke nicht zu bemerken, die Aqqaluk Jonathan immer wieder zuwarf. In dem gedämpften Licht des Restaurants sah Aqqa nicht viel anders aus, als Jonathan ihn in Erinnerung hatte, jungenhaft und scheinbar bestens gelaunt, und er selbst kam sich viel älter vor.

Je länger sie an dem Tischchen saßen und redeten, desto absurder wurde dieser Abend für Jonathan. Eine ähnliche Situation, in der alles auf eine absurde Art falsch lief, hatte er schon einmal durchlitten, mit einer Freundin, in einem Restaurant am Hamburger Hafen, als sie ihm mitteilte, dass sie ihn verlassen würde, während er mit Sorgfalt seine Seezunge entgrätete. Er hatte sich wortlos angehört, was sie zu sagen hatte. Als sie schließlich aufgestanden war, hatte er immer noch mit schmerzenden Kiefermuskeln gelächelt und sie hatte ihn beschimpft, dass es genau diese asiatische Gleichgültigkeit sei, diese grinsende Gefühlskälte, die sie so langweilte. Selbst dieser Moment, in dem sie ihm die Wahrheit sagte, war von Grund auf unwahr gewesen.

Während Aqqaluks Züge durch den Alkohol weicher und schwammiger wurden, hatte Jonathan das Gefühl, dass sich sein Gesicht langsam auf einen Punkt zusammenzog, der zwischen seinen Augenbrauen saß. Wie eine Maske, an der jemand mit spitzen Fingern zerrte. Er rieb sich die Stirn, doch das Ziehen ließ nicht nach. Es gelang ihm nicht mehr, den Sinn von Aqqaluks Worten zu verstehen, die wie durch Wasser zu ihm drangen. Er fühlte sich betrunken und hilflos, und auch Aqqaluk kam ihm umso hilfloser vor, je lauter und aufgedrehter er sich gab.

Wovor fürchtest du dich, Aqqa? Hast du Angst vor mir, weil du denkst, dass ich von den Toten auferstanden bin? Glaubst du wirklich an so was? Genau wie früher mischte sich in die Gewissheit, Aqqaluk zu durchschauen und zu kennen, ein dünnes, trauriges Gefühl von Fremdheit.

Als die Kellnerin ihnen zu verstehen gab, dass sie das Restaurant schließen wollte, standen sie beide gleichzeitig auf, erleichtert, diesen Abend beenden zu können. »Das geht aufs Haus«, sagte Aqqaluk, noch bevor Jonathan seine Kreditkarte zücken konnte, und rannte fast zur Restauranttür. Jonathan legte Shary den Arm um die Schultern und versuchte, sich nicht an ihr festzuhalten.

Aqqaluk übernachtete im selben Hotel wie Jonathan und Shary. Nebeneinander gingen sie durch das lautlose Nanortalik. Sie waren die Einzigen, die um diese Zeit noch auf der Straße waren.

»Alle, die was auf dem Kasten haben, gehen nach Nuuk«, sagte Aqqaluk. »Hier bleiben nur noch die Alten zurück. Und ein paar verschrobene Lebenskünstler.«

Jonathan fragte sich, ob Aqqaluk damit seinen Vater gemeint hatte. Aber erstens war Peter Wildhausen alles andere als einer, der mit dem Leben jonglierte, und zweitens strahlte Aqqas breites Gesicht nur eine trunkene Gutmütigkeit aus. Er hatte sicherlich keinen versteckten Hinweis geben wollen.

Das Hotel war in einem der rostrot gestrichenen Holzhäuser untergebracht und war eigentlich eher eine Bar, über der sich im ersten Stock einige Gästezimmer befanden. Die Rezeption war nicht mehr besetzt, aber als sich Jonathan und Aqqaluk die Schlüssel von der Theke nahmen, hörten sie aus dem angrenzenden Kneipenraum noch Stimmen.

»Ich gehe kurz mit Shary hoch«, sagte Jonathan. »Aber wenn du gleich noch …« Er brach ab, verunsichert wie bei einem ersten Date.

»Klar.« Aqqaluk wirbelte seinen Zimmerschlüssel um den Zeigefinger und ließ ihn in die Tasche seiner Lederjacke gleiten. »Klar«, antwortete er mit gespielter Lässigkeit, »ich warte an der Bar auf dich … Jonathan.«

MS Alaska, Elbe, Frühjahr 2011

Es war gar nicht so schwer, zu Jonathan Querido zu werden, denn auf eine seltsame Weise war es nicht ich, der das alles machte. Ich war außer mir, und von dort, wo ich war, beobachtete ich, wie ich den Jungen auf den Rücken drehte, ihm in das Gesicht mit dem offenen Mund und den aufgerissenen Augen starrte, ihm die Lippen und die Lider zudrückte, so wie ich es aus unzähligen Krimis kannte, ihn dann unter den Achseln packte, wo der Stoff seiner Uniform feucht vor Schweiß war, und ihn in Richtung des Lüftungsrohrs zerrte. Ich war in einen Film geraten, in einen Tatort oder so was, das war irgendwie komisch und ich hätte gerne gelacht. Aber ich wusste genau, dass es ein hysterisches Lachen werden würde, aus dem ich nicht mehr herausgefunden hätte, und deshalb unterdrückte ich es, sodass ich einen Schluckauf bekam.

Dem Jungen rutschte etwas aus der Hosentasche. Ich nahm es vom Boden auf. Es war ein Mäppchen mit einer Bordkarte und einem Ausweis. Als ich mir das Foto darauf anschaute, schaute das Foto zurück, so als würde ich in einen kleinen rechteckigen Spiegel gucken. Jonathan Querido. Das war der Name, der zu diesem Gesicht gehörte, ein mädchenhaftes Gesicht mit missmutig schauenden Augen, umrahmt von ordentlich gekämmten Haaren mit Seitenscheitel, wie ich ihn mir auch gezogen hatte, als ich im Fotogeschäft in Nuuk mein Passfoto hatte machen lassen. Jonathan Querido, ein guter Name.

Ich handelte, ohne einen Entschluss gefasst zu haben. Ich zog den Jungen aus, erst die dunkelblaue Uniformjacke und das Hemd, vorsichtig, weil ich Angst hatte, ich könnte ihn stören. Ich konzentrierte mich und mein Schluckauf ging in einen schnellen, flachen Atem über. Der Junge lag ganz ruhig da, als wäre er mit allem einverstanden, und ich streifte ihm auch die Schuhe und die schwarze Stoffhose runter. Nur Strümpfe und Unterhose behielt er an. Ich hatte noch nie einen Menschen ausgezogen, noch nie die nackte Haut eines anderen unter meinen Händen gespürt, das feste weiche Fleisch der Arme, die Muskeln und die schweren Knochen der Oberschenkel, die Handgelenke mit den grünlichen Adern unter der bronzefarbenen Haut. Seine Haare knisterten, als ich ihm das Hemd über den Kopf zog, und ich strich sie ihm glatt. Dann zog ich mich selbst aus. Ich drehte mich von ihm weg, um nicht fast nackt vor ihm zu stehen, während er auf dem Boden lag mit dem Kopf auf meiner Daunenjacke, wie ein Mädchen, das auf mich wartete. Als ich seine Kleidung anzog, schien noch ein bisschen von der Wärme seines Körpers darin zu stecken. Ich nestelte ihm meine Sachen über, was gar nicht so einfach war, weil er nicht mithelfen konnte. Als ich es geschafft hatte, war ich schweißnass und das Hemd des Jungen klebte mir am Rücken. Es war ein weißes Oberhemd, wie ich es nur zur Schulabschlussfeier getragen hatte, aber es passte genau, ebenso wie die Hose und sogar die Schuhe. Der Junge war exakt so groß wie ich und auf dem Ausweis hatte ich gesehen, dass er nur ein paar Wochen älter war. Jonathan Querido, geboren am 20. Dezember 1993 in Manila, Philippinen. Erst als ich mir Bordkarte und Ausweis in die Hosentasche schob, begriff ich wirklich, warum ich das alles gemacht hatte, begriff ich, was ich vorhatte. Wenn das Schiff in Hamburg anlegte, würde ich als Jonathan Querido von Bord gehen. Pakkutaq Wildhausen war tot.

Ich wusste, was zu tun war, als hätte ich ein Drehbuch gelesen. Ich lehnte den Jungen mit dem Rücken gegen eine der Kisten und zog ihm auch noch meine Daunenjacke an. Auf dem beigen Stoff war ein rotbrauner Fleck, das war sein Blut. Der Fleck hatte die Form Grönlands, aber ich hatte keine Zeit, darüber nachzudenken, was das zu bedeuten hatte. Ich öffnete vorsichtig die Tür, stellte fest, dass der hell erleuchtete Gang leer war, sah den Aufzug, der ein paar Meter entfernt war, packte den Jungen unter den Armen und schleppte ihn zum Aufzug hinüber.

Plötzlich, während ich auf die Leuchtanzeige starrte und darauf wartete, dass der Lift kam, war meine Totenstarre vorbei und mein Herz raste vor Aufregung. Das Gewicht des Jungen lastete schwer auf mir und die verdammten Zahlen da oben brauchten ewig. Als die Türen endlich aufgingen, war mir schwindlig vor Angst. Ich zerrte den Jungen in die grell erleuchtete Kabine, presste ihn gegen die Rückwand, damit er nicht zu Boden sackte, drückte den Knopf fürs Oberdeck und durch einen Schleier hindurch sah ich, wie sich die Türen wieder zuschoben. Ich saß in der Falle. Das nächste Mal, wenn die Türen wieder aufgingen, würde ich irgendjemandem gegenüberstehen, ich, ein philippinischer Schiffsjunge mit einer Leiche im Arm, deren schwarze Haare am Hinterkopf zu dicken Strähnen verklebt waren.

Doch wir kamen am Oberdeck an, die Türen surrten auf und da war niemand, der auf den Lift wartete. Ich hörte Stimmen und Lachen und von irgendwoher Schritte, die mit einem grässlich schmatzenden Geräusch näher kamen, und ich schleppte den Jungen mit mir, auf eine Tür zu, von der ich nicht wusste, wohin sie führte. Es war eine Schwingtür, ich drückte sie mit dem Rücken auf, ich wollte nur weg von den Stimmen und den Schritten. Die Tür pendelte hinter mir, bis sie zur Ruhe kam, und ich zerrte den Jungen weiter. Wir waren auf einer Loggia, einem halb offenen Raum mit Liegestühlen und Palmen in großen Töpfen und mit Glasscheiben, die zur Seite geschoben waren, sodass die Luft vom Meer hereinströmte. Auch hier war niemand. Ich stand da, mit dem Jungen im Arm, und atmete die kühle, feuchte Luft ein und sah das graue Meer da draußen unter einem grauen Regenhimmel. In der Ferne trennte ein dunkler Strich das Wasser vom Himmel. Die Küste.

Der Kopf des Jungen lag auf meiner Schulter, der Wind fuhr durch seine Haare, sie kitzelten meine Wange. Es waren nur ein paar Meter, bis wir an der offenen Schiebetür lehnten und der Nieselregen unsere Gesichter bestäubte. Unter uns, jenseits des metallenen Geländers, fiel das Schiff steil ab. Das Meer sah kalt aus, aber ich wusste, dass es nicht so eisig sein konnte wie das Meer vor Nuuk. Ich lehnte den Jungen ans Geländer, packte ihn an den Hüften und stemmte ihn hoch. Ich sah ihm nach, wie er fiel, die flatternden schwarzen Haare, die beige Daunenjacke, die ich zusammen mit Aqqaluk gekauft hatte, weil sie im Angebot gewesen war, die schwarze Jeans, in der mein Handy steckte und meine Brieftasche mit meinem Ausweis und mit dem Geld, das ich von Sven bekommen hatte. Ich sah mich selbst fallen, kopfüber ins Meer stürzen, Pakkutaq Wildhausen, siebzehn Jahre alt, Krabbenpuler in einem illegalen Fischschuppen, ein Junge ohne Zukunft.

»Was stehst du da und träumst? Hast du nichts zu tun?«

Ich drehte mich um. Vor mir stand ein Mann in einer Schiffsuniform, einer ähnlichen, wie ich selbst sie trug, nur dass seine Hose weiß war und nicht schwarz. Er herrschte mich an, aber sein Gesicht zeigte mir, dass er mich gar nicht wahrnahm, sondern nur meine Schiffsjungenkleidung. Er sah meine Angst nicht. Er fand mich nicht in meinem Versteck.

»Schließ die Türen, es wird ja alles nass. Stell die Liegen zusammen und sieh zu, dass es hier sauber ist.«

Er ließ mich zurück und ich schob die Glastüren zusammen, nahm die blau-weiß gestreiften Polster von den Liegen, stapelte sie ordentlich ins Regal, stapelte auch die Liegen übereinander. Ich tat es, weil es meine Arbeit war, die Arbeit eines philippinischen Jungen, der es gewohnt war zu tun, was man ihm sagte. In einem angrenzenden Kabuff fand ich Putzzeug. Ich wischte den Boden, bis er trocken war. Als die Tür geöffnet wurde, sah ich nicht hoch, sah nur die geputzten Marmorfliesen und die Beine der Frau, die den Raum betrat. Den Blick gesenkt, drückte ich mich an ihr vorbei. Mit dem Eimer und dem

Feudel in der Hand ging ich in die nächste Loggia und auch dort stellte ich die Liegen zusammen und wischte und wischte. Als ich fertig war, schüttete ich das schmutzige Wasser aus und fing noch einmal mit dem Wischen an, immer wieder tat ich das, ich wischte und schüttete und wischte und schüttete. Ein paarmal ging die Tür auf, aber jedes Mal brachten mein gebeugter Rücken und das dreckige Wasser die Leute dazu, sie wieder zu schließen.

Das Nieseln draußen war in einen prasselnden Regen übergegangen, der gegen die Scheiben schlug und in Strömen an ihnen herunterlief. Die Küste sah verschwommen aus, als würde ich sie durch einen Tränenschleier sehen. Aber sie kam näher. Aus dem dunklen Strich wurden graublaue und schmutzig grüne Streifen, weiße Windradmasten ragten aus den verwaschenen Farben, Häuser waren zu erkennen. Ich schob eine der Glastüren auf und jetzt sah ich alles klar und fest umrissen. Wir waren auf der Elbe. Bald würden wir in Hamburg sein.

Spider. Zum ersten Mal seit Tagen fiel mir diese verdammte Verabredung ein. Ich konnte dort nicht hingehen. Wie sollte das funktionieren? Selbst wenn ich es schaffen würde, von Bord zu kommen und rechtzeitig in diesem Café zu sein, wie sollte ich ihm gegenübertreten? Als *wer* sollte ich ihm gegenübertreten? Als der Junge aus Dannenberg, der mal ein Großstadtabenteuer erleben will, bevor er am Abend wieder nach Hause zurückfuhr? Ich ließ mir den Regen ins Gesicht klatschen, bis er mir in den Kragen der Uniform lief. Wer war ich denn eigentlich, wenn ich von Bord der Alaska ging? Ich wusste es nicht. Ich war in einer stinkenden Robbenfleischkiste aus

Grönland abgehauen, ich hatte einen Jungen umgebracht, sein Hemd hatte sich mit meinem Angstschweiß vollgesogen, seine Uniform und sein Ausweis waren das Einzige, was ich noch besaß. Sein Name war jetzt mein Name. Das, was ich als Spiel mit Spider begonnen hatte, war auf eine entsetzliche Weise Wirklichkeit geworden. Ich war in das Leben eines anderen geschlüpft.

Nanortalik, Südspitze Grönlands, Sommer 2020

Die Hotelbar erinnerte Jonathan an das Büro der Traditionsbewegung, in dem er Anga begegnet war. An den Wänden hingen Schwarz-Weiß-Aufnahmen von Robbenjägern in Fellkleidung, im Regal hinter der Theke lehnten bunte Holzmasken zwischen den Schnapsflaschen und an der Decke war das Geschirr eines Hundeschlittens aufgespannt. Selbst die beiden Einheimischen, die stumm am anderen Ende der Bar hockten, sahen wie verstaubte Überbleibsel einer anderen Zeit aus. Sie hatten müde Gesichter und trugen Daunenwesten über ihren Wollpullovern, als hätten sie den Klimawandel in dieser schummrigen Kneipe verschlafen. Aqqaluk stand an der Bar und drehte sein Whiskyglas zwischen den Fingern. Er wirkte angespannt und auf eine mürrische Weise ungeduldig. Obwohl er schon sehr betrunken sein musste, schien er hellwach zu sein.

»Seit wann trinkst du Whisky?« Jonathan schob sich auf den Hocker neben Aqqaluk. Er hatte den Satz noch nicht ausgesprochen, da war ihm bewusst, wie lächerlich diese Frage war. Sie hatten sich neun Jahre nicht gesehen. Er selbst hatte in dieser Zeit alles Mögliche an Alkohol in sich hineingekippt. Nur Wodka hatte er nicht mehr angefasst, seit er Grönland verlassen hatte. Der Anblick einer Wodkaflasche und erst recht der schwache süßliche Geruch hatten genügt, Bilder in ihm hochzuschwemmen, die er nicht hatte sehen wollen. Die einsamen Trinkgelage, die sein Vater in der Küche veranstaltet hatte, seine verschwommenen blauen Augen, in denen ein betrunkener Eifer leuchtete, die leeren Flaschen in einer Brugsentüte neben der Haustür. Das ganze Elend, dem er hatte entkommen wollen.

»Seitdem ich es mir leisten kann«, erwiderte Aqqaluk. In seinen Worten klang kein Stolz mit, sondern eher eine Spur ironische Bitterkeit.

»Und seit wann kannst du es dir leisten? Arbeitest du schon lange für Sven?«

Aqqaluk drehte sich zu Jonathan, während er gleichzeitig dem Barkeeper ein Zeichen gab, ihm ein Glas hinzustellen. »Ich dachte eigentlich, dass du jetzt mal dran bist, Erklärungen abzugeben, Pakkutaq.« Er sprach Jonathans Namen aus, als würde er einen Witz machen. »Oder soll ich dich weiterhin Jonathan nennen? Fällt mir ehrlich gestanden ziemlich schwer.«

»Das kann ich verstehen«, antwortete Jonathan. Er schob dem Barkeeper das Glas wieder zurück. Der Whisky, den er den ganzen Abend über getrunken hatte, brandete in ihm auf und er musste seine ganze Konzentration aufbringen, um die Übelkeit niederzukämpfen. Er musste sich zusammenreißen. Dies hier war seine letzte Chance, ehrlich zu Aqqaluk zu sein. Wenn er diesen Moment verstreichen ließ, würde er es niemals schaffen, ihm zu erzählen, was damals passiert war. Aqqaluk nicht, Shary nicht und auch nicht seinem Vater, wenn er ihn denn fand. Wenn er jetzt nicht den Mund aufbekam, dann war diese ganze Grönlandreise nichts anderes als eine sentimentale, verlogene Kreuzfahrt, die zu nichts führte. Er atmete tief die abgestandene Luft der Hotelbar ein, doch noch ehe er den ersten Satz fand, mit dem er seine Geschichte hätte auffädeln können, kam ihm Aqqaluk zuvor.

»Du hattest eine wirklich schöne Beerdigung, weißt du das?« Er sah Jonathan lauernd an. Jonathan nahm wieder den bitteren Spott wahr, der nicht zu dem Aqqaluk passte, den er einmal gekannt hatte.

Er schüttelte den Kopf und Aqqaluk redete weiter. »Es waren alle da. Dein Vater natürlich, der gute alte Sven, Ingvar und die anderen Typen aus der Schule. Maalia … Sogar meine Eltern sind gekommen. Anga hat mit seiner Band gespielt. Willst du wissen, was sie gespielt haben? Ich weiß es noch.«

»Nein.«

»Dein Vater ist danach völlig abgestürzt. Dein Tod hat ihn ziemlich mitgenommen, vor allem die Identifizierung deiner Leiche. Du musst übel ausgesehen haben, total aufgedunsen, weißt du? Er hat sicher gar nicht richtig hingeguckt.«

Jonathan spürte eine Kälte in sich aufsteigen, die ihn so nüchtern machte, dass er jedes Geräusch in der Bar überlaut hörte. Das Klirren der Gläser, die der Barkeeper ins Regal stellte. Die leise quakende Musik aus den Lautsprechern und Aqqaluks Atem, der schwer und betrunken klang.

»Es hat übrigens Wochen gedauert, bis du angeschwemmt wurdest, irgendwo an der Küste in Dänemark.

Übler Zustand, wie gesagt. Kein Wunder, dass du dich nicht gemeldet hast.«

»Hör auf, Aqqaluk.« Jonathan hätte ihn am liebsten geschlagen.

»Was soll's? Das ist Schnee von gestern.« Aqqaluk zog das Glas zu sich, das Jonathan nicht angerührt hatte.

Doch Jonathan nahm es ihm aus der Hand und schüttete den Whisky auf den Boden. »Hör auf, Aqqaluk!«, schrie er.

Aqqaluk legte einen Geldschein auf die Theke. »Du kannst mich mal … Jonathan«, sagte er. Er ging zur Tür und riss sie so heftig auf, dass ein Schwall kalter Nachtluft in den stickigen Raum strömte. Ohne sich umzuschauen, ging er die Straße hinunter, die zum Fjord führte, leicht schwankend und mit bemüht festen Schritten wie ein Seemann. Jonathan stand in der Tür und sah ihm nach. Er erkannte den Gang wieder, als wäre die Zeit stehen geblieben. Unzählige Male hatte er Aqqaluk so weggehen sehen, wenn sie bei Ingvar gewesen waren oder wenn sie in irgendeinem Auto gesessen und getrunken hatten, während sich der Schnee auf der Windschutzscheibe hochschob. Dann war Anga manchmal aufgetaucht. Ganz plötzlich hatte er die Tür aufgemacht und seinen betrunkenen Bruder am Arm aus dem Wagen gezogen und war mit ihm durch das Schneetreiben davongestapft. Die anderen Jungs, die zusammengezwängt auf der Rückbank saßen, hatten über Aqqaluk gelacht, aber er hatte ihn darum beneidet, einen großen Bruder zu haben, jemanden, der auf ihn aufpasst.

Aqqaluk war schon fast am Ende der Straße, als Jonathan endlich losrannte. Jeder Schritt ließ das Blut in seinen Schläfen pochen und er keuchte, als er Aqqaluk eingeholt hatte. Aqqaluk drehte sich zu ihm um und so standen sie sich auf dem Kiesweg gegenüber. Unter ihren Schuhen knirschten die weißen und grauen Steinchen, als wäre es Schnee. Jonathan hob den Blick und sah Aqqaluk in die Augen. Die Feindseligkeit, die er den ganzen Abend gespürt hatte, war verschwunden.

»Ich habe dich wirklich vermisst, Pakku.« Aqqaluk hatte plötzlich die brüchige Stimme eines alten Mannes. Genauso hatte sein Vater geklungen. Wie eigenartig, dass er sich noch daran erinnerte. Jonathan brauchte eine Sekunde, bis er sich wieder auf den Sinn von Aqqaluks Worten konzentrieren konnte.

»Ich war so voller Hass auf diesen Mann, der dich umgebracht hat. Und voller Hass auf mich selbst, weil ich mitgemacht habe bei deiner idiotischen Flucht. Und dann habe ich mich gehasst, weil ich deinen Tod ausgenutzt habe, weißt du das, Pakku?« Aqqaluk hob die Hände, als wollte er Jonathan umarmen, schlug ihm jedoch mit der flachen Hand gegen die Brust, nur leicht, aber es reichte, Jonathan wanken zu lassen.

Jonathan griff nach Aqqaluks Arm. »Niemand hat mich umgebracht. Du warst an gar nichts schuld, Aqqa«, sagte er.

»Doch. Ich werde es dir erzählen, Pakku. Und danach bist du dran.« Aqqaluk legte Jonathan den Arm um die Schulter. Es war die erste Berührung zwischen den beiden, die echt und unverkrampft war. Ein paar Sekunden standen sie so da und hielten sich aneinander fest, dann ließen sie sich los und gingen weiter Richtung Ufer. Der Fjord lag wie flüssiges Blei da, nur an dem Auf und Ab der Möwen, die auf dem Wasser schliefen, erkannte Jonathan, dass er Wellen schlug. Aqqaluks Gang war immer noch schwerfällig, aber es war deutlich, dass er ein Ziel hatte. Er wandte sich stadtauswärts, dorthin, wo ein paar Bootsschuppen standen. Hinter ihnen, am Rande des Fjordes, waren die Feuer der Erdölraffinerie zu erkennen, die vor dem hellen Himmel wie Kerzen flackerten. Jetzt nahm Jonathan auch den öligen Geruch in der Luft wahr.

Als sie bei dem ersten der Schuppen ankamen, blieb Aqqaluk stehen. »Wollen wir ein Stück rausfahren?«, fragte er, schob den Riegel zur Seite und öffnete die Holztür. Jonathan konnte im Dämmerlicht die schlanken, glänzend lackierten Kajaks sehen, die in Dreierreihen an den Seiten des Schuppens aufgehängt waren.

»Wem gehören die?« Jonathan spürte eine kribbelige Vorfreude.

»Zwei davon gehören Masik, sie leitet das Restaurant. Sie fährt manchmal raus, um Saiblinge zu fangen, wenn sie von den Bächen in den Fjord gezogen sind. Inzwischen ist ziemlich viel Dreck im Wasser und sie paddelt hauptsächlich zum Spaß ... Ich bin schon ein paarmal mitgefahren. Sie ist eine tolle Frau.« Aqqaluk lachte zweideutig und Jonathan lachte mit. Wie leicht es plötzlich war, eine Ahnung ihrer alten Freundschaft zu spüren.

Gemeinsam trugen sie die Kajaks zum Bootssteg und ließen sie ins Wasser. Als sie einstiegen, kam Jonathan auf dem schwankenden Boden ins Straucheln und wäre fast ins Wasser gefallen.

»Du bist aus der Übung«, sagte Aqqaluk.

»Es ist verdammt lange her, dass ich in einem Kajak gesessen habe.«

»Hast du es nicht vermisst?«

»Manchmal.«

Sie tauchten die Paddel ins Wasser und ließen das Ufer schnell hinter sich. Lautlos glitten die Kajaks über den Fjord. Jonathan brauchte nur ein paar Schläge, um seinen Rhythmus zu finden. Es war alles wieder da. Das Wissen darum, wie man das Gleichgewicht hielt, wie man zentimetergenau lenkte und wie man seine Kraft so in Geschwindigkeit umsetzte, dass das Wasser glatt wie ein Spiegel blieb. Und auch die Freude, das Boot zu beherrschen und immer schneller voranzutreiben. Er jagte hinter Aqqaluk her. Der Fahrtwind verscheuchte die Mücken, die wie ein Schleier über dem Fjord tanzten.

Als sie die Boote ausgleiten ließen, dauerte es eine Weile, bis sich Jonathans Puls beruhigt hatte und er plötzlich die Kälte spürte, die vom Wasser aufstieg. Die Sonne hatte den Fjord inzwischen golden gefärbt. Jetzt, im helleren Licht des Morgens, entdeckte Jonathan den Ölfilm, der schillernde Schlieren auf das Wasser gemalt hatte.

Aqqaluk hatte zwei Wolldecken aus dem Bootshaus mitgenommen. Er wartete, bis Jonathans Kajak zu ihm aufgeschlossen hatte, reichte ihm eine Decke und verhakte ihre beiden Paddel so, dass die Boote nebeneinanderlagen.

»Ich sollte dich Angerlartussiaq nennen«, sagte er. »Weißt du, was das heißt?« Er wartete Jonathans Antwort nicht ab, sondern sprach weiter. »Der, dessen Schicksal es ist wiederzukommen. Der Wiedergeborene.«

»Glaubst du ans Schicksal?«

»Ja. Nein. Vielleicht. Und du?«

Jonathan zögerte. »Ich glaube, dass wir Dinge tun, die dann unser Schicksal bestimmen«, sagte er.

»So kann man das auch sehen.« Aqqaluk zog sich die Decke um die Schultern und streckte seinen Oberkörper. Und dann fing er an zu erzählen.

Er erzählte von dem schlechten Gewissen, das er gehabt hatte, weil er Jonathans Vater nicht die Wahrheit gesagt hatte und sogar vorgab, ihm bei der Suche nach Pakku zu helfen, von der Aufgeregtheit, mit der Peter Wildhausen durch Nuuk gerannt war und jeden nach seinem Sohn ausgequetscht hatte, bis er schließlich auch an Maalia geraten war, die das kaum ausgehalten hatte. »Wir müssen es ihm sagen«, das war ihre Meinung dazu gewesen. Aber dann hatten sie trotzdem beschlossen, den Mund zu halten, zumindest bis eine Nachricht von Pakku aus Deutschland gekommen war, die aber einfach nicht kam. Von der bitteren Ahnung erzählte er, dass etwas passiert sein musste. Eine Ahnung, die sich auf so schlimme Weise bewahrheitete, als die Leiche von Pakkutaq Wildhausen gefunden worden war.

»Dein Vater ist rübergeflogen und hat dich identifiziert«, sagte Aqqaluk, als bestünde er nach wie vor darauf, dass es Pakkutaq gewesen war, der dort aufgedunsen in dem dänischen Leichenhaus gelegen hatte. Aber jetzt ließ er die quälenden Details aus und erwähnte auch die Beerdigung in Nuuk nur kurz, um zu dem Gespräch zu kommen, das er auf dem Rückweg vom Friedhof mit Sven Kristiansen gehabt hatte. Sven hatte ihn beiseitegezogen und ihm eröffnet, dass er wüsste, wer Pakkutaq auf dem Gewissen habe. Er hätte nämlich kurz nach seinem Verschwinden zwei seltsame Nachrichten auf seiner Mailbox gehabt, denen er aber keine große Bedeutung zugemessen habe. Aber jetzt, wo es klar sei, dass Pakkutaq ertrunken sei, hätte er auf einmal die Zusammenhänge begriffen. Grönemeyer von der Alaska habe den Jungen auf dem Gewissen, er hatte ihn ganz offensichtlich über Bord geworfen. Und dann, noch auf dem Rückweg von der Beerdigung, hatte er ihn in seinen Plan eingeweiht, Grönemeyer büßen zu lassen und gleichzeitig ein wenig zu profitieren von dem Tod des armen Pakku.

»Wir haben ihn in der Hand, diesen Deutschen«, hatte Sven gesagt und er, Aqqaluk, hatte sich gewundert, warum er ihn mit ins Boot zog. Aber genau wie Pakku hatte er schon in der nächsten Sekunde begriffen, dass Sven jemanden brauchte, der Englisch sprach, wenn schon nicht Deutsch. Denn wie sollte man jemanden erpressen, ohne sich halbwegs verständlich machen zu können?

Und darauf war es hinausgelaufen: Als die MS Alaska das nächste Mal im Hafen von Nuuk lag, hatte Aqqaluk, der inzwischen voll bei Svens illegalen Krabbentouren eingeführt war, Grönemeyer auf seine Tat angesprochen. Natürlich hatte dieser alles bestritten, worauf ihm Aqqaluk die Aufnahme von Svens Mailbox vorgespielt hatte. »Vergiss den Scheißtypen, Sven, ich schmeiß ihn über Bord, sowie wir auf See sind.« Und so war dem Deutschen nichts anderes übrig geblieben, als zu zahlen, immer wieder, obwohl er nicht mehr an Bord war, als die Alaska im nächsten Jahr Nuuk anlief, denn es war ein leichtes gewesen, seine Adresse in Bremen ausfindig zu machen.

»Wir haben ihn ausgepresst«, sagte Aqqaluk und seine Stimme klang gequält. »Sven hat von dem Geld ein Restaurant aufgemacht.«

»Und du?«

»Ich habe mir fast das Gehirn weggepustet mit all den Drogen, die ich genommen habe … irgendwann hatte ich genug. Ich habe Sven gesagt, dass er von nun an seine Verhandlungen selbst führen könnte. Aber Sven hatte sowieso vorgehabt, Grönemeyer allmählich in Ruhe zu lasssen. Er hatte zu der Zeit noch ein Restaurant aufgemacht und die Läden liefen gut. Ich brauchte nur ein, zwei Bemerkungen zu machen, dann hatte er mich eingestellt. Ein ziemlich guter Job, genau das Richtige eigentlich.«

»Du hast Sven mit der Erpressung erpresst?«

»So ähnlich.«

Jonathan sog tief die Morgenluft ein, die nach Erdöl roch. Vom Ufer her hörte man das Motorengeräusch der Lastwagen, die offenbar zur Raffinerie unterwegs waren. Er spürte eine leichte Übelkeit. Wann immer er die Schuldgefühle zugelassen hatte, die er in sich verbarg, hatte er nur an das Leid gedacht, das er anderen bereitet hatte. Konnte es denn sein, dass jemand von seiner Tat profitiert hatte?

»Warum sieht man keine Tankschiffe?«, fragte er schließlich.

»Es gibt seit Kurzem eine unterirdische Pipeline nach Kanada und von dort in die USA.« Aqqaluk machte eine vage Handbewegung Richtung Westen. »Die Amerikaner haben das Rennen gemacht, jedenfalls hier im Süden. Den Norden werden sich wohl die Kanadier mit den Russen teilen, aber die müssen erstmals mit ihren Offshore-Bohrungen vorankommen.« Er lachte bitter. »Ja, Pakku, seit du weg bist, haben sich einige Leute in Grönland eine goldene Nase verdient. Ich könnte dir eine Menge erzählen. Kannst du dich noch an Gunnar Kleist erinnern?«

»Klar.« Jonathan verscheuchte die Mücken auf seinen Armen, indem er sich die Decke von den Schultern schob. Er löste sein Paddel von Aqqaluks und stieß sich an dessen Kanu ab. »Aber erst einmal bin wohl ich mit Erzählen dran«, sagte er.

»Ja, das bist du wohl«, antwortete Aqqaluk. »Warum nennst du dich Jonathan? Ich habe an der Rezeption gesehen, dass dein Nachname jetzt Querido ist. Was ist das für ein Name? Er klingt spanisch.« Aqqaluk tauchte das Paddel in den dünnen Morgennebel, der über dem Fjord lag. Er gab seinem Kajak nur so viel Schwung, dass es wieder neben Jonathans lag.

»Das ist ein philippinischer Name«, sagte Jonathan. »Die Philippinen haben mehr als dreihundert Jahre unter spanischer Herrschaft gelebt. Es ist der Name des Jungen, den ich getötet habe, auf der Alaska, und der später in Dänemark gefunden wurde. Als ich von Bord ging, war es meiner.« Er hatte dies alles so kühl und unbeteiligt gesagt, als halte er einen Vortrag. Aber sein Paddel übertrug die Aufregung, die er nur mühsam unterdrücken konnte. Hart und unrhythmisch schlug es aufs Wasser, sodass sein Kanu zitterte. Zum ersten Mal hatte er in Worte gefasst, was er getan hatte. Für einen Moment kam es ihm vor, als hätte er dem fremden Schiffsjungen einen eigenen Namen gegeben, einen, der ihm allein gehörte und sonst niemandem. *Der Junge, den ich getötet habe.*

Er sah zu Aqqaluk hinüber, dessen Gesicht im Sonnenlicht wie Kupfer schimmerte. Keine Spur des Zweifels und der Ungläubigkeit war darin zu finden, aber auch kein Entsetzen.

Jonathan ließ sein Kanu langsamer werden. Bis sie wieder bei dem Bootshaus ankamen, würde er Aqqa seine Geschichte erzählt haben. Und so fuhren sie Seite an Seite durch den Nebel aufs Ufer zu, während Jonathan das Geheimnis preisgab, das ihn neun lange Jahre wie ein dunkler Schatten begleitet hatte.

Hamburg, Frühjahr 2011

Ich sah nur Beine. Kein einziges Mal hob ich den Kopf. Naiv wie ein kleines Kind, das glaubt, nicht gesehen zu werden, wenn es sich beim Versteckenspielen die Hände vors Gesicht hält. Ich lief einfach zwei Typen hinterher, die so aussahen wie ich, schwarze Hose, schwarze Haare, braune Haut, hängende Schultern. Das Fußvolk eben, das seinen eigenen Hinterausgang hatte. Erst als ich in dem Flur stand, wo sich dicht an dicht alle drängten, die von Bord wollten, als ich ihren Schweiß roch und die Wärme ihrer Körper spürte, wachte ich auf. Jemand rempelte mich an und fragte mich irgendwas in einer Sprache, die ich nicht verstand. Ich schüttelte den Kopf und wollte mich durch die wartende Menge schieben. Doch es ging nicht weiter. Ich steckte fest, ich konnte mich kaum noch bewegen. Die Panik kroch mir den Rücken hoch. In meinem Kopf jagten sich die Gedanken. War es nicht verboten, in der Schiffsuniform an Land zu gehen? Musste ich meinen Ausweis zeigen? Wenn mir nun Grönemeyer begegnete? Würde ich in der allerletzten Sekunde noch erwischt werden? Vielleicht hatte jemand den toten Jungen fallen sehen … Vielleicht hatten sie ihn rausgefischt und suchten jetzt seinen Mörder … Vielleicht wurde ich die ganze Zeit beobachtet und merkte es nur nicht! Plötzlich war ich mir sicher, dass ich von allen Seiten gemustert wurde. Aber ich wagte es nicht, mich umzuschauen. An den schwarzen Köpfen vor mir vorbei starrte ich auf das helle Rechteck des Ausgangs, auf den wir uns Meter für Meter zuschoben, das Tor zur Freiheit. Dabei führte es direkt zur Passkontrolle.

Auf einmal ging es so schnell, dass ich keine Zeit mehr hatte, mir noch Schrecklicheres auszumalen. Ein weiterer Schalter wurde eröffnet, die Jungs hinter mir drängten mich auf den Counter zu, ich holte den Ausweis aus der Hosentasche, legte ihn in das Schiebefach, sah dem Beamten ins Gesicht, sah seinen musternden Blick, versuchte zu lächeln, während sich mein Magen zusammenkrampfte, sah, wie der Mann den Pass zurücklegte und ihn mir mit regungsloser Miene zuschob, nahm ihn an mich, steckte ihn in die Hosentasche und ging weiter.

Als ich den Terminal verließ, war ich Jonathan Querido. Ich war ein philippinischer Schiffsjunge in einer durchgeschwitzten, stinkenden Uniform. Ich lief an den Menschen vorbei, die genau wie in Nuuk zum Kai gekommen waren, um sich das Luxusschiff anzusehen, und niemand nahm mich zur Kenntnis. Der Boden unter mir schwankte, hinter meinen Schläfen dröhnte noch das Stampfen der Schiffsmotoren, in meinem leeren Magen brannte die Angst noch immer ätzend sauer.

Aber ich war nicht mehr auf der Alaska! Ich war in Hamburg, in Deutschland, ich war mittendrin. Jetzt hob ich den Kopf, zerrte an dem Kragen der Uniform, um mehr Luft zu bekommen, und nahm das Leben um mich herum wahr, als wäre ich aus einer langen Narkose erwacht. Die leuchtenden Schiffe im Hafen, die Restaurants und Cafés, hinter deren Scheiben die Menschen lachten und redeten, Lichter, die auf dem Wasser tanzten, Häuser aus glänzenden, spiegelnden Steinen, das Rattern der Hochbahn, das Rauschen der Autoketten, ein Durcheinander aus Stimmen, betrunkenem Geschrei und der Musik aus den Hafenkneipen. Das alles drang auf mich ein und riss mich mit sich. Ich spürte die große Stadt um mich herum, die Millionen Menschen, die Straßen, die ins Unendliche führten. Ich konnte weiterlaufen, nach Dänemark, nach Frankreich, nach Griechenland, nach Indien oder China, es würde kein Ende geben. Die ganze Welt pulsierte durch mich hindurch und ließ mich zittern vor Erregung. Alles war möglich und alles konnte passieren. Ich hatte es geschafft! Ich war diesem Albtraum entkommen und niemand wusste, was in diesem Traum passiert war. Ich wollte nicht darüber nachdenken, welchen Preis ich für meine Freiheit bezahlt hatte. Aber die Tatsache, dass ich um ein Haar gescheitert wäre, ließ mir diese Freiheit umso kostbarer erscheinen. Ich lebte! Ich war siebzehn Jahre alt, nicht mehr auf einer Insel im ewigen Eis und ich lebte!

»Hast du mal 'nen Euro?« Ein Typ stand vor mir, ein stinkender alter Mann in einem Regenmantel, der mir einen Plastikbecher vor die Nase hielt. Er nuschelte so, dass ich ein paar Sekunden brauchte, um zu begreifen, was er von mir wollte. Ich wich zurück und schüttelte den Kopf. Doch der Alte griff nach meiner Jacke und zerrte wütend daran herum. »Du hast doch 'nen Euro, Kleiner«, sabberte er. Ich packte seinen dürren Unterarm, riss mich los und rannte weiter. Nein, verdammt noch mal, ich hatte keinen Euro, auch keine Kronen, ich hatte überhaupt nichts. Alles, was ich vor vierundzwanzig Stunden noch besessen hatte, das viele Geld von Sven, mein Handy, alles lag auf dem Grund der Nordsee. Ich hatte alles versenkt, weil ich alles loswerden wollte. Ich war ein Idiot gewesen. Keinen Moment hatte ich darüber nachgedacht, was ich machen würde, wenn ich von der Alaska runterkam. Der Alte hatte meinen kurzen Höhenflug gestoppt und mich auf den steinharten Boden der Tatsachen geworfen.

Ich lehnte mich an ein gläsernes Werbeplakat, presste mir die Hände auf die Rippen und fühlte mein Herz hämmern. Das Glas an meinem Rücken, das ich durch die Jacke spürte, war kalt wie Eis, aber mein Gesicht und meine Hände glühten. Die Vorstellung, weiterzugehen und mich durch die Menschenmenge schieben zu müssen, drückte mir die Kehle zu. Doch irgendwie musste ich mich zu dem Schachcafé durchschlagen, zu Spider. Er wartete auf mich. Ich schaute auf die Turmuhr an den Landungsbrücken. Konnte ich es überhaupt noch rechtzeitig bis zu diesem Café schaffen, wo immer das auch sein mochte? Auf der Brücke schräg über mir rollte langsam eine Bahn vorbei, hinter den Fensterscheiben saßen die Menschen im warmen gelben Licht. Ich schaute zu ihnen hinauf und sie sahen unbeteiligt auf mich hinunter. Was sahen sie in mir? Einen armen Irren in einer Uniform, der kurz davor war durchzudrehen?

Im selben Moment hielt ein Taxi direkt vor meinen Füßen. Der Fahrer beugte sich zu mir, die Autos hinter ihm hupten, er winkte mir zu, mich zu beeilen, und ich stieg ein. Erschöpft ließ ich mich in die Lederpolster sinken.

»Reeperbahn, okay?« Der Mann drehte sich zu mir um und grinste mich an. »Girls? Okay?«

Es dauerte eine Sekunde, bis ich begriff, was er meinte. »No«, antwortete ich, »no girls. Schachcafé am Rübenkamp.«

Ich sah, wie er die Schultern zuckte. Mit seinem breiten, speckigen Nacken sah er ein bisschen aus wie Sven. »Schachcafé«, wiederholte er, »kein Problem.« Dann gab er Gas und ich rutschte tiefer in den weichen Sitz. Der Wagen war eine Höhle, eine warme, schummerige Höhle. Aus dem Radio wimmerte Jazzmusik, der Motor und die Welt da draußen waren kaum zu hören. Es dauerte keine zwei Minuten, dann konnte ich mich nur noch mit Mühe wach halten. Vor meinem Fenster verwischten die Lichter und ich riss die Augen auf. Ich durfte nicht einschlafen, ich musste mich zusammenreißen. Ich war nicht der kleine Lord, der zum Schloss seines Großvaters kutschiert wurde. Ich war ein ausgemusterter Schiffsjunge ohne einen einzigen Cent in der Tasche. Mit vor Müdigkeit brennenden Augen starrte ich auf die Digitalanzeige, die erbarmungslos die Euros aufleuchten ließ, die ich dem Mann da vor mir schuldete. Keine Ahnung, wie viel das eigentlich in Kronen war, aber das war auch egal. Ich konnte sowieso nicht bezahlen.

Ich rutschte ein wenig höher in meinem Sitz. »Ist es noch weit?«

»Höchstens fünf Minuten.« Im Rückspiegel sah ich die Augen des Taxifahrers. Er hatte mir nur einen kurzen Blick zugeworfen und dann wieder auf die Straße geschaut. Wir fuhren durch eine Gegend, in der nicht mehr so viel los war wie am Hafen, aber im Vergleich zu Nuuk war es das Paradies. Im Licht der Straßenlaternen konnte ich weit ausladende Bäume erkennen, es waren Kastanien. Ich hatte nicht viel Ahnung von Bäumen, aber diese hier kannte ich von früher. Die Blätter waren noch eingerollt, doch ich wusste noch, wie schön sie aussahen, fast wie Hände. Wir hatten so einen Baum im Garten gehabt, es war der größte Baum der Welt gewesen. Wenn ich auf der Schaukel saß, konnte ich so hoch fliegen, dass ich über die Büsche und Bienenkästen hinweg die Bahngleise sah. Im Herbst hatte ich aus den Kastanien kleine Tiere gebastelt, die meine Großmutter auf der Fensterbank aufbewahrt hatte, bis ihre runden Bäuche schrumplig wurden. Plötzlich kamen mir die Tränen, weil mir die Leute in Grönland so leidtaten. Aqqaluk, Anga, Maalia, sogar Ingvar. Sie alle hatten noch nie eine Kastanie in der Hand gehabt. Mit zusammengepressten Lippen kämpfte ich die albernen Tränen runter und versuchte, an etwas anderes zu denken.

Der Taxifahrer drehte sich zu mir um. »Alles in Ordnung?«

Ich nickte und verzog mein Gesicht zu einem falschen Grinsen. Nichts war in Ordnung. Anstatt mir zu überlegen, wie ich aus diesem Taxi rauskam, ohne zu bezahlen, heulte ich vor Rührung über ein paar Bäume. Ich war wirklich ziemlich fertig. Ich wischte mir die Tränen mit dem Ärmel meiner Uniformjacke ab, aber es kamen immer mehr. Sie ließen sich genauso wenig aufhalten wie der Regen, der jetzt in dicken Tropfen auf die Windschutzscheibe fiel.

»Was ist los, Junge?« Der Fahrer fuhr in eine Parkbucht

und hielt an. »Da vorne ist schon das Schachcafé«, sagte er. Es klang, als wollte er mich damit trösten.

»Ich kann nicht bezahlen.« Jetzt schluchzte ich wie ein kleines Mädchen. Aber ich war viel zu erschöpft, um mich dafür zu schämen. Ich hatte einen Punkt erreicht, an dem so etwas wie Peinlichkeit keinen Platz mehr hatte. Vielleicht war das der Anfang vom Ende, der erste Schritt auf dem Weg nach unten. Irgendwann hielt ich fremden Leuten einen Plastikbecher vor die Nase, weil ich Geld zum Weiterleben brauchte. Durch die Tränen hindurch erkannte ich, wie der Mann mich musterte. Meine Uniformjacke, mein verheultes Gesicht, meine schwarzen, struppigen Haare.

Zwei Minuten später stand ich auf dem Fußweg, mit einer Rechnung in der Hand, und schaute dem Taxi hinterher, bis die roten Rücklichter nur noch zwei leuchtende Flecke unter vielen waren. Ich konnte es kaum glauben, dass der Mann so nett zu mir gewesen war, obwohl er wie Sven ausgesehen hatte und dazu noch ein Deutscher war. »Das sind alles kleinkarierte Spießer«, hatte mein Vater immer gesagt, wenn er seinen Landsleuten in Nuuk begegnet war.

Sorgfältig faltete ich das Papier zusammen und steckte es mir in die Brusttasche. Ich würde dem Mann das Geld zurückzahlen, freiwillig. Ich würde etwas tun, was mein Vater nie im Leben gemacht hätte. Aber ich war nicht mehr der Sohn meines Vaters. Ich war nicht mehr Pakkutaq Wildhausen und ich musste damit aufhören, an das zu denken, was ich zurückgelassen hatte. Ich war Jonathan Querido, und je schneller ich das kapierte, umso besser.

Es war kurz nach zwanzig Uhr, als ich die Tür aufdrückte und die Kneipe betrat, in der ich mit Spider verabredet war. Warme Bierluft schlug mir entgegen. Das Lokal war ziemlich voll, jedenfalls im unteren Stockwerk. Eine Treppe führte zu einer Galerie hoch und auch dort saßen Leute. Ein einziger der kleineren Tische neben der Treppe war noch frei. Ich ließ mich auf den Stuhl sinken, lehnte den Kopf gegen einen Balken und schloss die Augen. Mein Kopf war leicht und leer wie ein Ballon und ich war dankbar, ihn anlehnen zu können, damit er mir nicht davonflog. Das Gewirr der Stimmen summte um mich herum wie ein Bienenschwarm und lullte mich ein. Ich rieb mir das Gesicht. »Man erkennt sich immer, wenn man will«, hatte Spider gesagt. Aber dafür musste man zumindest die Augen aufhaben, oder nicht? Schade, ich hätte gerne einfach nur ein wenig geschlafen.

Als der Kellner mich fragte, was ich trinken wollte, bestellte ich einen Kaffee. Während ich darauf wartete, dass er wiederkam, schaute ich mich um. Saß Spider hier irgendwo und beobachtete mich? Hatte er gesehen, wie ich hereingekommen war? Wo war er? Ich stand auf, ging durchs ganze Lokal und auf die Galerie, von der aus man alles gut überblicken konnte. An allen Tischen, die ich unauffällig inspizierte, saßen mindestens zwei oder drei Leute. Nur an der Theke hockten ein paar Typen, die anscheinend solo waren. Schach spielte niemand. Aber dafür wurde umso mehr gegessen. Der Anblick all der Teller mit Steak und Bratkartoffeln weckte meinen Hunger. Die Scheibe Brot, die mir Grönemeyer gebracht hatte, war das Letzte gewesen, was ich gegessen hatte. Grönemeyer. Das war in einem anderen Leben gewesen.

An dem Tischchen neben meinem saß ein Paar, das sich wegen irgendwas herumstritt. Sie hatten ihre Teller zur Seite geschoben und umklammerten ihre Biergläser, während sie sich leise angifteten. Unter einer zerknüllten Serviette guckte eine Currywurst hervor, die sie kaum angerührt hatten. Und bevor ich noch denken konnte, hatte ich schon gehandelt und stopfte mir die Wurst in den Mund. Mit gesenktem Blick starrte ich in meine Kaffeetasse, bis ich den letzten Bissen hinuntergeschlungen hatte. Dann schaute ich hoch. Ich sah direkt in die Augen eines Mannes, der an der Theke saß. Er hatte mich beobachtet, meinen Diebstahl, mein Schlingen, meinen Hunger und das Schamgefühl, das plötzlich heiß in mir brannte. Seine Mundwinkel verzogen sich zu einem Lächeln. Dann hob er sein Glas und prostete mir zu. Er trank Rotwein, so wie ich es immer vermutet hatte.

Ansonsten hatte ich ziemlich danebengetippt. Er sah völlig anders aus, als ich gedacht hatte, besser, cooler, wenn auch nicht unbedingt jünger. Kurz geschorene graue Haare, schwarzer Anzug, schwarzer Rollkragenpulli und richtig feine Lederschuhe. Ich wischte mir den Rest Currysoße mit dem Handrücken ab und kam mir vor wie der letzte Idiot. Sollte ich ihm mit meiner leeren Kaffeetasse zuprosten? Wieder lächelte er mich an, dann drehte er sich zur Theke um und sprach mit dem Wirt. Eine Minute später kam er mit seinem Weinglas in der einen und mit einer großen Laugenbrezel in der anderen Hand an meinen Tisch.

»Das Steak wird eine Weile dauern. Nimm erst mal die Brezel.« Mit diesen Worten setzte er sich zu mir und stellte sein Glas ab.

»Danke.« Ich schaffte es, ungefähr zwei Sekunden zu warten, bis ich die Brezel packte und sie hinunterschlang. Der Kellner brachte mir eine Cola, die ich in einem Zug austrank. Ich sah ausgehungert und gierig aus, egal wie sehr ich mich zusammenriss, das war mir klar. Spider saß mir gegenüber, nippte an seinem Rotwein und gab sich nicht die geringste Mühe, seine Neugier zu verbergen. Er schaute mir beim Essen zu, ohne ein einziges Mal den Blick abzuwenden. Es war ein abschätzender Blick. Erst in diesem Moment wurde mir klar, dass ja auch Spider ein bestimmtes Bild von mir gehabt haben musste. Und der Typ, der ihm jetzt gegenübersaß, in einer Schiffsuniform, mit fettigen Haaren und schwarzen Eskimoaugen, war sicher nicht das, was er sich vorgestellt hatte.

»Wie lange hast du nichts gegessen?«, fragte er, als ich mit der Brezel fertig war.

»Weiß nicht.«

»Willst du noch was trinken? Noch eine Cola? Oder lieber einen Drink? Wie alt bist du eigentlich?« Er saß mit verschränkten Armen da und musterte mich wie ein Forscher ein seltenes Tier.

»Wie alt bist *du* denn?« Ich musste allmählich mal raus aus der Defensive. Aber die Frage hing noch im Raum, als mir auch schon klar war, wie kindisch trotzig sie klang. Und überhaupt – hatten wir das nicht alles schon mal am PC abgekaspert?

Spider lachte. »Alt genug«, antwortete er. Er sah mich über den Rand seines Glases hinweg an.

Plötzlich hatte ich diese Spielchen so dermaßen satt, dass ich hätte schreien können. Mann, ich war einfach am Ende. Ich wollte nur noch essen, trinken, schlafen und in Ruhe gelassen werden. Ich lehnte wieder den Kopf an den Balken, schloss die Augen und öffnete sie erst wieder, als der Kellner mir mein Steak und ein Bier hinstellte. Ohne einmal aufzuschauen, schaufelte ich die Bratkartoffeln in mich hinein. Dann erst machte ich mich über das Steak her, das zu zäh war, um es schnell hinunterzuschlingen. Ich achtete nicht mehr auf Spider, es war mir egal, ob er mich beobachtete. Er interessierte mich nicht. Ich war zu müde, um darüber nachzudenken, was dieser Typ von mir wollte.

Als ich fertig war, zahlte Spider. »Komm«, sagte er, »bevor du hier am Tisch einschläfst. Du kannst bei mir schlafen, ich wohne hier gleich um die Ecke.«

Er half mir hoch wie einem alten betrunkenen Sack und schob mich auf die Tür zu. Weil ich nicht nach vorne schaute, stolperte ich. Spider packte mich am Arm. »Hoppla«, sagte er. Das kam mir bekannt vor. Das hatte ich auch einmal gesagt. Plötzlich fiel mir die Wanderung im Qinguadalen ein, bei der ich meinen besoffenen Vater durch die Landschaft geschleppt hatte, durch das Tal, wo er seine Bienenzucht starten wollte. Als Spider die Tür aufdrückte, drehte ich mich noch mal um. Ich wollte klarstellen, dass ich nicht betrunken war, ganz bestimmt nicht, ich hatte ja nur ein einziges Bier gehabt.

»Hey! Ich bin der Bienenkönig!«, rief ich. »Ich bin der Bienenkönig! Ist das klar?« Die Leute guckten mich an und ich fing an zu kichern. Ich kicherte immer noch, als Spider mich die Straße hinunterschleppte, den Arm um mich gelegt, seine Hand fest unter meiner linken Achsel. Ein heftiger Regen fegte mir ins Gesicht. Ich zitterte vor Lachen und Kälte.

»Wieso ist es so kalt? Wir sind doch in Deutschland, oder?«

Ich bekam nicht mit, ob Spider antwortete. Irgendwie musste er mich zu seinem Haus geschleppt haben, denn auf einmal schob er mich in die Kabine eines Aufzugs und drückte mich gegen die Metallwand, damit ich nicht wegrutschte. Auch das kannte ich von irgendwoher … Die Alaska … Der Lift … Wir schwebten nach oben und mir wurde übel.

»Komm«, sagte Spider, »ein paar Schritte noch.« Er half mir durch die Aufzugstür, die hinter uns zusirrte. Für einen Moment ließ er mich los. »Nur der Ordnung halber: Wie heißt du eigentlich?«

Ich sah ihn an, kniff die Augen zusammen, um das Bild scharf zu stellen, und konzentrierte mich darauf, nicht zu lallen. »Ich? Ich bin … ich bin Jonathan Querido. Auferstanden von den Toten. Jo-na-than. Schöner Name, oder nicht?« Wieder musste ich lachen.

Aber Spider lachte nicht mit. »Es ist alles okay«, antwortete er. Er bugsierte mich auf eine der Türen zu und schloss auf. Als ich hinter ihm die warme Wohnung betrat, seufzte ich. An der Wand gegenüber der Tür hing ein riesiges Schwarz-Weiß-Foto, das ich im ersten Moment für eine Schneelandschaft hielt, bis ich erkannte, dass es die Aufnahme eines zerwühlten Bettes war.

In meinem müden, erschöpften und völlig überdrehten Hirn breitete sich die Erkenntnis wie in Zeitlupe aus: Ich war gerade dabei, mit einem Schwulen die Nacht zu verbringen. Mit einem Typen, der einen Siebzehnjährigen in seine Wohnung schleppte. Aber warum auch nicht? Ich war nicht mehr ich. Und die Vorlieben von Jonathan Querido kannte ich nicht.

Der fremde Mann schaute mich an und lächelte. »Hör mal. Was immer mit dir auch los sein mag«, sagte er, »du brauchst keine Angst zu haben, Jonathan. Vor mir nicht.«

Nanortalik Südspitze Grönlands, Sommer 2020

Sie hatten die Kajaks wieder im Bootshaus verstaut. Jetzt standen sie im Morgenlicht am Ufer des Fjords, die Wolldecken zum Schutz vor den unzähligen Mücken um die Schultern gelegt. Auf Aqqaluks Gesicht spiegelte sich die Verwirrung wider, in die ihn Jonathans Beichte gestürzt hatte. Er wippte auf den Zehen hin und her und reckte sich, als müsste er nach dem Paddeln seine Muskeln lockern. Jonathan registrierte, dass sie immer noch gleich groß waren. Soweit er zurückdenken konnte, hatten Aqqaluk und er die gleiche stämmige Statur gehabt. Wenn er selbst ein paar Zentimeter gewachsen war und ihm seine Hosen zu kurz geworden waren, hatte Aqqaluk höchstens ein Vierteljahr gebraucht, um ihn einzuholen.

Merkwürdig, dass ihm dieses Detail auf einmal einfiel: In der ersten Zeit in Hamburg war er so schnell gewachsen, dass ihm die schwarze Stoffhose, die er getragen hatte, als er von Bord der Alaska ging, schon nach einigen Wochen nicht mehr gepasst hatte. Es war, als hätte er sich beeilt, die Hose des toten Jungen abstreifen zu können wie eine zu eng gewordene Schlangenhaut.

»Es war kein Mord, Pakku.« Aqqaluk klang, als ob er nach langer Überlegung zu einem Entschluss gekommen war. »Es war Totschlag. Das ist bestimmt inzwischen verjährt.«

»Totschlag verjährt erst nach dreißig Jahren. Das sind noch einundzwanzig.« Jonathan faltete seine Decke ordentlich zusammen und drückte sie Aqqaluk in die Hand. »Ich weiß, was du denkst«, sagte er. »Nein, ich habe keine Angst, dass du mich erpressen könntest, Aqqa.«

»Wie kannst du dir da sicher sein? Ich hab diesen Deutschen erpresst und auch Sven.«

»Ich bin es einfach.«

Aqqaluk zögerte einen Moment, dann nickte er. »Lass uns zum Hotel zurückgehen«, sagte er. »Vielleicht ist deine Freundin schon wach.« Er warf die Wolldecken achtlos in den Bootsschuppen und schloss die Tür. »Shary, schöner Name … Weißt du, Pakku, was *du* für einen Namen tragen solltest?«

»Schon wieder ein neuer Name?«

»Atsiaq.«

»Was bedeutet das?«

»Der, der nach einem Toten benannt wurde.«

»Ich überleg es mir«, sagte Jonathan.

»Tu das.« Aqqaluk lachte, ließ Jonathan stehen und ging den Weg vom Schuppen zurück zur Uferpromenade des Fjords. Als Jonathan ihn eingeholt hatte, sprach er mit dem gleichen, leicht spöttischen Tonfall weiter. »Und was bedeutet Jonathan?«

»Geschenk Gottes.«

»Ehrlich?«

»Ja.«

»Da scheinst du ja richtig Glück gehabt zu haben.« Aqqaluk boxte Jonathan gegen die Schulter und ging weiter. Jonathan folgte einen halben Schritt hinter ihm. Er verstand nicht, was Aqqaluk mit seiner Bemerkung gemeint hatte. Glaubte er etwa, dass Gott ihm diese zweite Identität geschenkt hatte? Nein, Aqqaluk hatte noch nie an einen Gott geglaubt, der Schicksal spielt, genauso wenig wie er selbst. Sein Leben als Jonathan Querido war ihm von niemandem gegeben worden. Er hatte es sich genommen, er allein trug die Verantwortung.

Auf dem Weg zum Hotel stellte Aqqaluk Jonathan ein paar Fragen zu seiner Bildhauerei. Jonathan beantwortete sie nur kurz und oberflächlich. Er hatte das Gefühl, dass Aqqaluk nur aus Höflichkeit gefragt hatte. Es war, als wäre alles zwischen ihnen gesagt worden, alles, was wichtig war. Sie waren sich nah und vertraut, und trotzdem war es sinnlos, so zu tun, als ob sie die Alten geblieben wären. Sie hatten verschiedene Wege eingeschlagen und sie lebten in Welten, die nicht viel gemeinsam hatten. Als sie schließlich vor dem Tresen der Rezeption standen, gähnte Aqqaluk. »Ich leg mich aufs Ohr«, sagte er. »Was hast du morgen vor?«

Erst jetzt fiel Jonathan auf, dass er Aqqaluk noch gar nichts von seiner Suche nach seinem Vater erzählt hatte. Er berichtete ihm kurz von seinen vergeblichen Nachfragen.

»Weißt du, wo er lebt, Aqqa? Hast du ihn jemals wiedergesehen? Ist er hier in Nanortalik?«

Aqqaluk zog die Schultern hoch und ließ sie mit einer Miene des Bedauerns wieder sinken. »Ich denke, er ist damals hierhin gegangen; er wollte wirklich mit dieser verrückten Bienenidee loslegen. Aber ob er noch hier ist? Keine Ahnung.« Er lachte kurz auf. »Weißt du, Pakku, das eigentlich Verrückte daran ist, dass es gar nicht verrückt war. Echten Grönlandhonig kriegst du heute in Nuuk im Delikatessenladen. Da macht zwar keiner ein Vermögen mit, aber …« Er brach ab und verzog das Gesicht wieder zu einem ungenierten Gähnen. Dann legte er Jonathan die Arme um die Schultern und klopfte ihm auf den Rücken. »Viel Glück«, sagte er. »Viel Glück bei allem, was du tust, Jonataq.«

Er ließ ihn los und ging auf Shary zu, die in der Schwingtür aufgetaucht war, die zu den Hotelzimmern führte. »Guten Morgen«, sagte er. »Hat mich gefreut, dich kennengelernt zu haben.« Er deutete eine Verbeugung an, winkte Jonathan zu und verschwand im dunklen Flur des Hotels.

Jonathan schoss eine vage Vorstellung davon durch den Kopf, dass er Aqqaluk seine Visitenkarte geben sollte oder ihn zumindest nach seiner Handynummer fragen müsste. Aber dieser Gedanke verflog so schnell, wie er gekommen war.

Beim Frühstück in der kleinen Cafeteria des Hotels war Shary ungewöhnlich ernst. »Jonathan … Du und Aqqaluk und dieser Junge, der in Nuuk auf dem Friedhof liegt, ihr wart alle drei Freunde, nicht wahr?«, fragte sie. »Seid ihr deshalb gestern Abend so deprimiert gewesen?«

»Deprimiert? Findest du, dass wir deprimiert waren?«

»Ja. Ich glaube, ihr wolltet nicht über ihn sprechen. Hab ich recht?«

Es dauerte einige Sekunden, bis Jonathan antwortete. Sekunden, in denen er die Chance verstreichen ließ, Shary die Wahrheit über Pakkutaq Wildhausen zu sagen.

»Es stimmt, wir waren beide nicht gut drauf«, sagte er

schließlich. »Vielleicht, weil … weil so viel Zeit seit damals vergangen ist. Zeit, in der so viel passiert ist. Wir haben uns verändert, Aqqaluk und ich. Wir sind nicht mehr die Freunde, die wir mal waren. Es ist sinnlos, so zu tun, als ob die Uhr stehen geblieben wäre.«

Er schaute zum Fenster hinaus auf die Straße. Sein Blick fiel auf einen alten Mann in einem zerschlissenen Trainingsanzug, der in einem Papierkorb herumstocherte. Er holte irgendetwas Brauchbares hervor, das er eingehend prüfte, bevor er es in eine seiner Brugsentüten stopfte.

Jonathan konnte den Blick nicht von ihm lösen. Von seiner gebeugten, hageren Gestalt und den bemüht konzentrierten Bewegungen eines Alkoholikers, die das Zittern unterdrücken sollten. Bewegungen, die er immer und überall erkannte. Der Mann schien zu spüren, dass er beobachtet wurde, denn plötzlich blieb er stehen und starrte zurück. Er richtete sich auf und musterte Jonathan mit einem teilnahmslosen Gesichtsausdruck. In der nächsten Sekunde drehte er sich um und schlurfte weiter. Jonathan schaute ihm nach, bis er ihn nicht mehr sehen konnte. Er spürte eine beißende Wut in sich hochsteigen, ohne zu wissen, wem diese Wut galt.

»Und vielleicht ist es auch sinnlos, dass ich versuche, meinen Vater zu finden«, sagte er.

Hamburg, Frühjahr 2011

Von dem Moment an, als Jonathan seinen neuen Namen ausgesprochen hatte, ließ er sich von einer seltsamen Gleichgültigkeit treiben. Mit dem Entschluss, Grönland zu verlassen, hatte er zum ersten Mal in seinem Leben versucht, einen Plan durchzuziehen und sein Schicksal selbst zu bestimmen – und das hatte zu einer Katastrophe geführt. Jetzt war es, als hätte ihn ein lähmendes Gift befallen.

Er folgte dem fremden Mann durch die Wohnung zu einem Zimmer, von dem er nur das Bett mit der schneeweißen Decke wahrnahm. Es dauerte nicht mehr als eine Sekunde, dann lag er quer auf dem Doppelbett. Im Einschlafen bekam er mit, dass der Mann ihn auszog. Die Schuhe, die Uniformjacke, die regennasse Hose. Er hörte, wie die Jalousie heruntergelassen wurde, wie der Mann hinausging, den Fernseher einschaltete. Dann sackte er weg. Für eine kurze Zeit schlief er wie betäubt ohne Vergangenheit, ohne Gegenwart und ohne Zukunft.

Als der Mann ins Zimmer kam und sich neben ihn legte, tauchte er aus der Bewusstlosigkeit auf. Er wusste sofort, wo er war. Er nahm die Anwesenheit des Mannes überdeutlich war. Das leichte Auf und Ab der Matratze, als er sich bewegte. Das Geräusch seines zu lauten Atems und die Wärme, die von ihm ausging.

»Jonathan? Bist du wach?«, flüsterte der Mann. Er hatte

die Tür zum Flur aufgelassen und das Licht nicht ausgemacht, sodass ein breiter Lichtstreifen aufs Bett fiel. Jonathan lag auf der Seite, mit dem Rücken zu ihm, und starrte auf die Staubpartikel, die im Licht wie feinste Schneeflocken taumelten.

»Schläfst du schon?« Er spürte die Hand in seinem Nacken, genauso leise, genauso kriechend wie die Stimme, und er schloss die Augen. Die Finger tasteten sich weiter nach unten, die Muskeln neben der Wirbelsäule entlang bis zur Hüfte, sie streiften ihn wie eine Feder.

Jonathan atmete die Luft, die er angehalten hatte, so geräuschlos wie möglich aus. Er konzentrierte sich auf seinen eigenen Atem, auf das Gefühl, das der kaum wahrnehmbare Luftzug in seinen Nasenflügeln verursachte, auf seinen Herzschlag, auf nichts anderes. Es war das Einzige, was ihm vertraut war. Er dachte daran, wie die trächtigen Eisbärenweibchen im Winter in ihren Geburtshöhlen liegen, ruhiggestellt, ihre Atemfrequenz geht zurück, ihr Herz schlägt langsamer, so können sie Monate in der Kälte überleben, ohne sich zu bewegen. Die Eisbärin trägt Leben in sich, es gibt einen Grund, weshalb sie wieder aufwacht. Er jedoch lag starr und leer in seiner Höhle. Wenn er ein Bild gemalt hätte, das seinem Zustand entsprach, wäre es das einer einsamen Eisscholle gewesen. Losgelöst und ziellos trieb sie immer weiter in ein unbekanntes Meer.

Nanortalik, Südspitze Grönlands, Sommer 2020

Auch in Nanortalik brachte die Tour, die Jonathan und Shary durch die Supermärkte, Kneipen und Parks machten, keinen Hinweis auf Peter Wildhausen. Am Nachmittag saßen sie erschöpft auf einer Bank am Fjord. Jonathan, der die Nacht zuvor nicht geschlafen hatte, war müde und Shary tat der Fuß weh.

»Vielleicht können wir jetzt endlich mal ins Hotel zurückgehen?«, sagte Shary. Seit dem Morgen war sie ungewöhnlich schweigsam gewesen und Jonathan spürte, dass sie sich ein Stück von ihm zurückzog. Seine verdammte Unfähigkeit, mit ihr zu reden, ihr zu erklären, was hinter dieser ganzen Suche steckte, was mit ihm los war, stand wie eine unsichtbare Wand zwischen ihnen.

Jonathan legte ihr den Arm um die Schultern, während sie auf das Hotel zugingen. Und auch als sie sich nebeneinander auf dem schmalen Doppelbett ausstreckten, lag sie in seinem Arm, mit dem Kopf an seiner Schulter. Wortlos schauten sie sich einen Film im Fernsehen an und aßen die Chips, die sie in einem der Supermärkte gekauft hatten. Sie hatten die Vorhänge zugezogen, um die Sonne auszusperren, und als der Film zu Ende war, gähnte Jonathan und gab vor, schlafen zu wollen. Doch dann lagen sie Seite an Seite und er hatte die Augen weit offen. Natürlich konnte er nicht schlafen. Er war hellwach. Als Shary sich zu ihm drehte und ihn zu streicheln begann, ließ er es geschehen. Er genoss die Berührung ihrer Hände; es erregte ihn, wie sie mit ihren Fingerspitzen unter sein T-Shirt glitt, seinen Bauchnabel umkreiste, zu seiner Brust hochwanderte. Er atmete ihren Geruch ein, spürte ihre Lippen an seinem Hals, ihre Hand streifte wieder über seinen Bauch, die Hitze, die von ihr ausging, brachte seine Haut zum Glühen.

»Jonathan«, flüsterte sie. Und plötzlich hielt er es nicht mehr aus. Abrupt löste er sich aus ihren Armen, stand auf, stolperte ins Badezimmer und schloss die Tür hinter sich ab. Er saß auf dem Klodeckel, den Kopf in den Händen vergraben, und lauschte auf das Hämmern seines Herzens. Was für ein Idiot war er nur! Was für ein Feigling! Shary war wunderbar. Sie war schön und aufregend und warmherzig. Er brauchte nur für eine halbe Stunde ohne sie zu sein, dann vermisste er sie, ihre unverstellte Fröhlichkeit, ihre Offenheit und Neugier, die Berührung ihres Körpers, wenn sie sich bei ihm einhakte, ihre Nähe, ihren Geruch, ihr Lachen, das Schimmern ihrer schwarzen Augen, einfach alles. Aber warum versteckte er sich dann hier vor ihr in diesem armseligen Badezimmer? Warum konnte er sich nicht auf sie einlassen? War es, weil sie ihn an Maalia erinnerte, an all das, vor dem er davongelaufen war? Sie hatte doch nichts mit Grönland zu tun, sie kannte das Land weniger als er. Sie war in der Großstadt aufgewachsen, sie würde nicht hierbleiben, auf der Insel. Sie gehörte genauso wenig hierher wie er selbst. Sie war nicht Maalia, verdammt noch mal.

Oder hatte er sich verschanzt, gerade weil er dabei war, sich in Shary zu verlieben? Weil er es nicht fertigbrachte, jemanden an sich heranzulassen, der ihn für Jonathan Querido hielt? Weil er nicht wollte, dass sie sich in ihn verliebte, solange er nicht wusste, wer er eigentlich war? Mann, wie oft schon hatte er andere Menschen auf Abstand gehalten und vor den Kopf gestoßen, wenn sie seine Nähe suchten? Wann hatte er sich jemals wirklich auf eine Frau eingelassen?

»Jetzt komm doch da raus, verdammt noch mal … Jonathan!« Durch die geschlossene Tür hindurch konnte er hören, dass Shary wütend auf ihn war. Wütend und verletzt.

Doch er fühlte sich machtlos. Er blieb so lange auf dem Deckel der Toilette sitzen und wartete hinter der verschlossenen Tür, bis er davon ausging, dass Shary eingeschlafen war. Dann legte er sich neben sie, und obwohl er angespannt und unglücklich war, sank er nach wenigen Minuten in den Schlaf.

Als er aufwachte, hatte er das Gefühl, kaum geschlafen zu haben. Doch durch die Vorhänge drang helles Morgenlicht. Das Bett neben ihm war leer, und als er aufstand, um nach Shary zu suchen, fand er sie beim Frühstück auf der Holzveranda.

»Guten Morgen«, sagte sie.

Er setzte sich neben sie, schenkte sich ein Glas Wasser ein, trank es in einem Zug aus und seufzte.

»Ist schon okay, Jonathan.« Sharys Stimme klang belegt.

So, als wäre eben nicht alles okay. »Du brauchst dich nicht vor mir auf dem Klo zu verstecken. Ich kann dich absolut in Ruhe lassen, wenn du willst.«

Jonathan seufzte noch einmal tief. »Es tut mir schrecklich leid, Shary«, sagte er. »Ich …«

Sie lächelte ein schiefes Lächeln. »Ist schon okay«, wiederholte sie.

Dann frühstückten sie, ohne viel miteinander zu reden. Vor ihnen lag der Tasermiut Fjord, auf dessen tiefblauem Wasser ein Eisberg schwamm, der sich aus einer anderen Welt hierher verirrt zu haben schien. Er sah wie ein vergessenes Kinderspielzeug aus, das auf einem See vor sich hindümpelte.

»Wie lange es wohl dauert, bis so ein Eisklotz schmilzt?«, fragte Shary schließlich und natürlich wusste Jonathan, dass sie ihn damit meinte.

»Ich weiß es nicht«, antwortete er. »Aber irgendwann ganz bestimmt.«

»Willst du heute noch mal nach deinem Vater suchen?«

Jonathan nickte. Er hatte beschlossen, sich eines der Daylightmobile auszuleihen, um in die entfernteren Ecken von Nanortalik zu fahren. Der Ort erstreckte sich bis zur Ostküste der Insel und es gab eine ganz neue Schotterstraße, auf der man die Randbezirke erreichen konnte.

»Ich bleibe hier«, sagte Shary. »Ich werde einfach auf der Terrasse sitzen und nichts tun als lesen und Kaffee trinken.«

»Also gut.« Jonathan stand auf. »Dann gehe ich duschen

und mach mich danach auf den Weg.« Er blieb noch einen Moment unschlüssig stehen.

»Viel Glück, Jonataq«, antwortete Shary und Jonathan warf ihr einen verunsicherten Blick zu. Hatte sie mit Absicht fast die gleichen Worte benutzt wie Aqqaluk am Morgen zuvor? Ahnte sie vielleicht mehr, als er dachte?

Hamburg, Frühjahr 2011

Er war allein im Zimmer, die Nacht war vorbei, der Mann hatte ihn nicht angefasst. Er hatte ihn in Ruhe gelassen. Jonathan konnte ihn hören, wie er in der Küche das Frühstück vorbereitete. Eine Espressomaschine brodelte, es roch nach Toast und Kaffee und heiler Welt.

Jonathan hatte seit dem Abend regungslos auf der Seite gelegen, jetzt tat ihm der rechte Arm weh. Er richtete sich auf und schaute sich um. Vor einem schwarzen Ledersessel lag die Kleidung, die er getragen hatte, dahinter füllte ein weiß lackierter Schrank die gegenüberliegende Wand aus. Der Raum wirkte kahl und kühl, als wollte er durch nichts von dem Kunstwerk ablenken, das neben dem Fenster stand. Eine fast mannshohe Statue, die Andeutung eines nackten Mannes, flüchtig herausgehauen aus einem rötlichen Stein, fast so, als wäre der Künstler noch nicht fertig mit der Arbeit.

»Guten Morgen.«

Jonathan drehte sich zur Tür. Der Mann aus dem Schachcafé stand in Jeans und T-Shirt im Zimmer. Ein Geruch nach Seife und Rasierwasser vermischte sich mit dem Kaffeeduft, der von dem Tablett ausging, das er in den Händen hielt. »Dein Frühstück«, sagte er, »lass es dir schmecken.«

Während Jonathan den Toast und die Rühreier aß, zog der Mann die Jalousie hoch und nahm die Kleidung vom

Boden, um sie auf einen Sessel zu legen. Erst jetzt sah Jonathan, dass das Ledermäppchen mit dem Ausweis und der Bordkarte auf dem Teppich gelegen hatte. Der Mann schob es in die Tasche der Uniformjacke. Mit dem Jackett in der Hand setzte er sich ans Fußende des Bettes.

»Du hast geschlafen wie ein Toter«, sagte er. »Ist alles in Ordnung?«

Jonathan rührte sich Zucker in den Kaffee und antwortete nicht. Er kam sich vor, als wäre er dem prüfenden Blick eines Arztes ausgesetzt, und fühlte sich schrecklich, so wie er dalag, mit nacktem Oberkörper und fettigen Haaren, noch immer nach Schweiß und Dreck stinkend.

»Entspann dich«, sagte der Mann. »Du brauchst keine Angst zu haben. Ich will nichts von dir. Du bist schließlich erst siebzehn.« Er schnipste gegen die Jackentasche, in der sich der Ausweis befand.

Jetzt hob Jonathan den Blick. »Ach ja, wirklich?«, sagte er. »Das weißt du doch schon länger, oder nicht?«

Der Mann kräuselte die Stirn.

»Warum hast du mir nicht gesagt, dass du schwul bist? Glaubst du, dann wäre ich nicht gekommen? Da hast du recht, Mann.« Jonathans Stimme klang kühl und leidenschaftslos.

»Ich hatte nicht den Eindruck, dass du gestern Abend in der Lage warst, Alternativen zu erwägen. Du warst völlig fertig.«

Jonathan kniff die Augen zusammen. »Die Alternativen hätte ich weitaus früher erwogen … Spider.« Er spuckte das Wort aus wie ein schal gewordenes Kaugummi.

»Spider …?« Für einen Moment saß der Fremde da, als

wüsste er nicht, wie er sich in seinem eigenen Schlafzimmer zu verhalten hatte. Jonathan spürte, wie irritiert er war, und er fing an zu begreifen.

»Scheiße«, sagte er und schloss die Augen. Doch dann öffnete er sie wieder und sah den Mann an. »Oder auch nicht. Scheißegal eigentlich, wer du bist.«

»Ich heiße Lloyd.« Der Mann grinste.

»Nice to meet you«, antwortete Jonathan. Er fasste unter die Decke, um zu fühlen, ob er zumindest seine Unterhose anhatte, und stand auf. »Und wo geht's zur Toilette?«

»Komm.« Lloyd zeigte ihm das Badezimmer, wo Jonathan pinkelte und sich die Hände wusch. Er hätte gerne geduscht, traute sich aber nicht, die Sachen des Fremden zu benutzen. Als er aus dem Bad kam, saß Lloyd in der Küche.

»Deine Klamotten sind total dreckig. Wenn du willst, kannst du frische haben«, sagte er und führte Jonathan durch den an die offene Küche grenzenden Wohnbereich, der größer war als jedes Zimmer, das er je gesehen hatte. Inmitten einer Bücherwand befand sich eine Tür, durch die man in ein weiteres Apartment kam. Lloyd zeigte ihm ein zweites Bad und daneben ein Zimmer mit Schlafcouch, Kleiderschrank, Fernseher, Computer und einem E-Piano.

»Du findest sicher etwas Brauchbares«, sagte er und deutete auf den Schrank. Doch Jonathan hatte sich schon wieder umgedreht und stand in der halb geöffneten Tür des Zimmers gegenüber.

»Willst du das Atelier sehen? Geh ruhig rein.« Lloyd nickte ihm aufmunternd zu. Dann ging er voran in einen hellen Raum, der offensichtlich die Werkstatt eines Bildhauers war. Mehrere unbehauene Steine lagen auf dem Boden, in den Regalen war sorgfältig Werkzeug sortiert, in der Mitte stand auf einem Sockel eine ähnliche Männerplastik, wie Jonathan sie in Lloyds Schlafzimmer gesehen hatte.

Jonathan strich über den rauen Stein. »Bist du Künstler?«

Lloyd legte den Finger unter das steinerne Kinn der Statue, als wollte er sie zwingen, den Kopf zu heben. »Ich bin Architekt. Das Atelier hat ein Freund von mir benutzt«, sagte er, drehte sich abrupt um und ging in das Zimmer mit dem E-Piano zurück. »Dies hier ist mein Gästezimmer«, sagte er zu Jonathan, der ihm gefolgt war. »Du kannst erst mal hierbleiben, wenn du willst.«

Jonathan schaute aus dem Fenster hinunter auf die baumbestandene schmale Straße, auf der jetzt, um die Mittagszeit, nur eine alte Dame mit ihrem Hund unterwegs war. »Und was ist mit deinem Freund?«, fragte er.

»Er ist nicht mehr mein Freund.« Lloyd machte eine kurze Pause. »Du kannst gerne alles benutzen, in diesem Teil der Wohnung. Im Schrank findest du Sachen, die dir halbwegs passen müssten. Fühl dich wie zu Hause.«

»Danke«, sagte Jonathan. Er zeigte auf den Computer. »Brauche ich ein Passwort?«

»Ja«, antwortete Lloyd. »Es heißt Rodin.«

»Wie?«

»Rodin … R O D I N.« Lloyd buchstabierte überdeutlich. »Das war ein Bildhauer.« Er ging zur Tür. »Ich hab zu tun, Jonathan. Ich seh dich dann beim Mittagessen.«

Als Lloyd das Zimmer verlassen hatte, schaltete Jonathan den PC an. Während der Computer hochfuhr, durchforstete er den Schrank nach frischer Wäsche und ging ins Bad. Er stopfte seine Unterhose in den kleinen Mülleimer und stellte sich unter die Dusche.

Eine Viertelstunde später saß er am Computer, in den zu weiten Jeans eines fremden Mannes, und lud die Seite mit den Internetspielen hoch, die er in seinem früheren Leben so oft besucht hatte. Zum letzten Mal in seinem Leben loggte er sich als Bienenkönig ein und klickte den Button »Freunde« an. Die Person, die sich Spider nannte, war online.

Nanortalik, Südspitze Grönlands, Sommer 2020

Jonathan hatte seine Nachforschungen nur mit halbem Herzen gemacht. Im Grunde war er sich nicht sicher gewesen, dass sie zu nichts führten, außer vielleicht dazu, dass er auf diese Weise Gelegenheit hatte, in so einem Daylightmobil herumzukutschieren. Doch dann, als er an einer Tankstelle angehalten hatte, um die lichtabsorbierende Schicht des Wagens von toten Insekten zu befreien, war er auf Mikael Aariak gestoßen. Mikael, der Freund seines Vaters, bei dem sie manchmal übernachtet hatten.

Während er mit einem Schwamm die Oberfläche seines Mobils gereinigt hatte, war sein Blick auf den langhaarigen Alten gefallen, der den Wagen neben ihm polierte. Ein Inuit, seine dunkle Haut war glatt und gleichzeitig von tiefen Furchen durchzogen, wie aufgesprungenes Gestein. Es dauerte eine Weile, bis Jonathan sich sicher war, dass das tatsächlich Mikael war. Als er ihn ansprach und nach Peter Wildhausen fragte, merkte er, dass der Alte ihn nicht erkannte.

»Was willst du denn von *dem*?« Mikael hatte ihn unwillig angeschaut. »Das ist doch Jahre her, dass der hier gewohnt hat.«

Jonathan hatte spontan zu einer Notlüge gegriffen. »Es geht um eine Erbschaft, verstehst du? Ich soll für Verwandte in Hamburg herausfinden, wo er jetzt lebt.« Mit dem Trick von dem zu erwartenden Geld aus Deutschland hatte er den Mann aus der Reserve gelockt und das wenige erfahren, was Mikael wusste.

Nach dem Begräbnis in Nuuk hatte Peter Wildhausen offenbar für ein gutes halbes Jahr in Nanortalik gewohnt. Aber irgendwann war er dann verschwunden, vielleicht wieder nach Nuuk zurück, so genau hatte Mikael das nicht mehr gewusst.

»Frag mal Gunnar Kleist. Bei dem hat er damals gearbeitet, als der sein Geschäft von Nuuk hierherverlegt hat«, hatte er gesagt. Jonathan hatte verwundert nachgehakt, ob er etwa den Besitzer der Fluggesellschaft meinte. Mikael hatte genickt und sich dann wieder seiner Arbeit zugewandt. Für ihn war das Thema erledigt gewesen. Doch Jonathan hatte nicht lockergelassen, sodass Mikael ihm schließlich den Weg zu Trans Greenland beschrieb, wie Gunnars Firma mittlerweile hieß.

Jetzt stand Jonathan vor dem protzigen Neubau am Rande von Nanortalik, den er schon vom Schiff aus wahrgenommen hatte, und las die Firmenschilder am Eingang. *Trans Greenland – Grönlands größter Anbieter für Inlandsflüge* prangte da in Buchstaben, die genauso golden glänzten wie der Fisch über Svens Restaurant. Jonathan grinste. Noch so einer, der es geschafft hatte … Er musste an die Holzbaracke in Nuuk denken, wo Ingvars Vater damals seine Geschäfte abgewickelt hatte.

Noch als Jonathan im Fahrstuhl bis ins oberste Stockwerk fuhr, hatte er vorgehabt, auch Gunnar Kleist die Erbschaftsgeschichte aufzutischen. Doch als er jetzt von einer Sekretärin in sein Büro gebeten wurde, entschloss er sich, die Wahrheit zu sagen. Diesem schwergewichtigen Mann, der ihm da mit professioneller Lässigkeit entgegentrat, konnte er nichts vormachen wie Mikael. Und er wollte es auch gar nicht. Er hatte all diese Ausreden und Halbwahrheiten satt. Es kostete ihn immer mehr Kraft, sein Lügengebilde aufrechtzuerhalten.

»Mister Querido? Nice to meet you.« Kleist wies ihm einen Sessel in der Sitzgruppe vor der Fensterfront zu. Der Ausblick auf den Fjord war atemberaubend.

Jonathan antwortete auf Grönländisch. »Vielleicht kennen Sie mich noch von früher«, sagte er so beiläufig wie möglich, obwohl ihm das Herz gegen die Rippen klopfte. »Ich war mal mit Ingvar befreundet. Ich bin der Sohn von Peter Wildhausen. Pakkutaq.«

Gunnar Kleist kniff die Augen zusammen. »Das kann nicht sein«, erwiderte er. »Der Junge ist seit Jahren tot.«

»Nein. Der Junge sitzt vor Ihnen.« Jonathan sprach schnell weiter, bevor Gunnar Zeit fand, ihm Fragen zu stellen. »Ich kann Ihnen jetzt nicht erklären, wie es zu dem Missverständnis gekommen ist. Aber Sie können mir glauben, dass ich nicht ertrunken bin. Ich lebe in Hamburg und hab leider keinen Kontakt mehr zu meinem Vater. Ich hoffe, Sie können mir etwas über seinen jetzigen Aufenthaltsort sagen.«

Gunnar Kleist strich sich mit der Hand über die Glatze und musterte Jonathan stumm. Er beobachtete ihn wie ein seltenes Tier, bei dem man nicht sicher sein konnte, ob es nicht zum Angriff übergehen würde.

»Sie können mir wirklich glauben.«

»Pakkutaqs Leiche wurde von seinem Vater identifiziert«, entschloss sich Gunnar Kleist zu antworten.

»Das war ein Irrtum. Ich bin Pakkutaq Wildhausen.« Jonathan hörte sich selbst zu, wie er diese vier Worte aussprach. Sie fühlten sich richtig und falsch zugleich an.

Für ein paar Sekunden war es still. »Vielleicht überzeugt Sie das«, fuhr er fort. »Ich weiß noch, dass Sie mir einmal etwas versprochen haben. Es war an meinem zwölften Geburtstag. Mein Vater und ich, wir waren bei Ihnen auf dem Flugplatz. Sie haben mir Ihren Hubschrauber gezeigt.«

Kleist ließ nicht erkennen, ob er sich an diese Begebenheit erinnerte.

»Sie wollten mich mitnehmen, zum Inlandeis.«

»Und? Hab ich's getan?«

»Nein. Es kam leider nicht dazu. Mein Vater hatte Ihnen beiden damals ein Geschäft vermasselt ...«

»Und jetzt bist du hier, damit ich mein Versprechen einlöse?« Kleist lehnte sich in seinem Sessel zurück, verschränkte die Arme über der breiten Brust. »Viel länger hättest du auch nicht warten dürfen. Das Eis ist bald weg.« Er lachte dröhnend über seinen eigenen Witz und schob Jonathan einen Teller mit kleinen runden Kuchen hin. »Bedien dich.« Bedeutungsvoll hob er den Blick. »Pakkutaq.« Immer noch musterte er Jonathan wie ein exotisches Wesen. »Das muss ich Ingvar erzählen! Er kommt übermorgen aus Kopenhagen. Der wird mich für verrückt erklären.«

Jonathan lächelte matt. Die Vorstellung, wie sich die beiden Kleists über ihn das Maul zerrissen, gefiel ihm ganz und gar nicht. Aber letztendlich konnte es ihm egal sein, was sie alles für Vermutungen anstellten. »Können Sie mir denn nun sagen, wo mein Vater jetzt ist?«, fragte er.

»Das kommt drauf an.«

»Worauf?« Jonathans Blick folgte einem Seeadler, der von den Felsen am Fjord hinab auf das Wasser segelte. Er bemühte sich, seine Ungeduld nicht zu zeigen. Er spürte, dass Ingvars Vater eine Art Spiel mit ihm vorhatte.

»Es hängt davon ab, wie man das armselige Leben Peter Wildhausens bewertet …«

Jetzt sah Jonathan Gunnar Kleist fragend an.

»… und ob man an Himmel und Hölle glaubt.«

»Was meinen Sie damit?« Jonathan hielt den Atem an und fixierte sein Gegenüber voller Anspannung.

»Dein Vater lebt nicht mehr, Pakkutaq. Er ist schon seit Jahren tot.«

Die Stille, die diesen Worten folgte, brachte die Luft zum Sirren.

»Und er hat sich nicht zu Tode gesoffen«, sagte Kleist, »obwohl das auf der Hand gelegen hätte. Nein, Pakkutaq, dein alter Herr wurde höchstwahrscheinlich umgebracht.«

Hamburg, Frühjahr 2011

hi spider, long time no see
hi bienenkönig, long time no play
was war los?
was meinst du?
unser date
wo? In ny?
in hamburg
sorry
ich bin hier, in hmb
und?
ich hatte ne lange anreise, mann
sorry
ja, sorry. und jetzt?

Jonathan saß im Gästezimmer des Mannes, den er ein paar Stunden lang für Spider gehalten hatte, am Schreibtisch und starrte auf das leuchtende Rechteck des Mac. Es dauerte einige Sekunden, bis er die volle Bedeutung des Satzes begriff, der auf dem Bildschirm aufgetaucht war.

Dein Gegner hat das Spiel verlassen.

Flug von Nantortalik nach Qaanaaq, Grönland, Sommer 2020

Jonathan und Shary saßen in Gunnar Kleists schmalem Privatflugzeug, in dem außer dem Piloten nur noch sie beide und drei weitere Passagiere Platz hatten. Jonathan versuchte, die Übelkeit in seinem Magen zu ignorieren. Das war alles viel zu schnell gegangen. Er hätte sich von Gunnars Angebot nicht so überrollen lassen dürfen. Noch immer hatte er nicht ganz begriffen, was er an diesem Morgen über seinen Vater erfahren hatte.

Für eine Sekunde hatte Gunnar Kleist sich an seinem Schock geweidet, dann hatte ihm sein ruppiger Ton offenbar leidgetan, denn er war freundlicher geworden. »Die genauen Umstände weiß ich leider nicht, Pakku. Ich glaube, sie wurden nie richtig geklärt. Ein Geschäftsfreund von deinem Vater und mir hat mir damals was gemailt.«

»Was? Was gemailt?«

»Einen Zeitungsausschnitt über deinen Vater. Ich werde meine Sekretärin bitten, mal nachzuschauen, ob sie da noch was findet.«

In diesem Moment war die Sekretärin ins Zimmer gekommen, um Kleist mitzuteilen, dass sein Termin in Qaanaaq geplatzt sei. Gunnar hatte schnell reagiert, vielleicht weil er froh darüber war, dieses Gespräch beenden zu können. »Es ist zwar kein Hubschrauber«, hatte er gesagt, »aber es ist ein Lowfligher. Wenn du dich beeilst, kannst du für mich mitfliegen.«

Jonathan war nicht in der Lage gewesen zu reagieren. Da hatte Gunnar ihn förmlich aus dem Büro geschoben. »Ich schick dir den Artikel, falls sie ihn findet. Lass deine E-Mail-Adresse hier.«

Jonathan hatte Shary angerufen, die begeistert gewesen war, in den Norden zu fliegen. Sie hatte ihr Gepäck in ein Taxi verfrachtet und eine halbe Stunden später hatten sie sich am Flugplatz getroffen. Und so hockte er nun im Flugzeug nach Qanaaq hinter Shary, die neben dem Piloten saß, eingeklemmt zwischen drei russischen Geschäftsleuten, die sich mit ihren elektronischen Unterlagen beschäftigten. Er schaute hinunter auf die grüngraue, von Bergen und Fjorden durchzogene Landschaft. Auch die Bohrinseln auf dem Meer waren zu sehen und die Raffinerien, die wie silberne Nadeln aus dem Land ragten. Ihre Fackelanlagen setzten glühende Punkte auf das Grün. Grönland wurde angezapft und ausgesaugt, das war nirgends so deutlich zu erkennen wie von hier oben. Für die Erdölkonzerne war es, als hätten sie einen ganz neuen Kontinent entdeckt, den sie zur Ader lassen konnten.

Durch den Blick aus dem Fenster war in Jonathan wieder eine Welle der Übelkeit aufgestiegen. Er starrte auf Shary vor ihm, die ihre Stirn gegen die Scheibe drückte. Er hatte ihr noch nicht erzählt, dass die Suche nach seinem Vater ein Ende gefunden hatte. Was hätte er ihr auch sagen sollen? Er wusste ja selbst so gut wie nichts. Gunnars Worte waren immer noch nicht ganz zu ihm durchgedrungen. »Dein Vater lebt nicht mehr, Pakkutaq ... Er ist seit Jahren tot ... Er wurde höchstwahrscheinlich umgebracht ...«

Als Jonathan am Flugplatz sein Gepäck aus dem Kofferraum des Taxis genommen hatte, war er unschlüssig mit der Honigschleuder in den Armen stehen geblieben. Ein Angestellter von Trans Greenland war ihm zu Hilfe gekommen. »Das ist leider zu viel Gepäck, Mister«, hatte er gesagt. Ohne nachzudenken, hatte Jonathan ihm die silberne Trommel in die Hände gedrückt. »Werfen Sie das Ding einfach weg. Das brauche ich nicht mehr«, hatte er geantwortet.

Ja, sein absurdes Geschenk war ein für alle Mal überflüssig geworden. Adressat verstorben. Jonathan rieb sich die Schläfen. Was mochte passiert sein? Hatte sich sein Vater im Suff mit irgendjemandem angelegt? Es wäre nicht das erste Mal gewesen, obwohl er eigentlich kein gewalttätiger Mensch gewesen war. Er konnte sich an kein einziges Mal erinnern, wo sein Vater gegen ihn die Hand erhoben hatte. Vielleicht war er ihm dafür zu gleichgültig gewesen. Jonathan schluckte trocken. Er spürte keine Trauer über den Tod seines Vaters. Eher das Gefühl, in eine Sackgasse gerannt zu sein und jetzt verwirrt dazustehen und nicht zu wissen, ob er einfach wieder umkehren sollte.

Musste er Shary gegenüber seine wahre Identität überhaupt aufklären, jetzt wo sein Vater nicht mehr lebte? Worin bestand nun noch der Sinn dieser Grönlandfahrt? War es nicht das Beste, den Flug in den Norden als krönenden Abschluss zu nehmen und dann nach

Nuuk zurückzufliegen und auf die Alaska zu warten? Wen interessierte denn schon wirklich, ob Pakkutaq Wildhausen noch am Leben war oder nicht? Es gab keinen Weg zurück. Hatte er das gestern nicht selbst noch gesagt?

»Hey, was ist das für ein Ort?« Sharys Stimme riss ihn aus seinen Gedanken.

Der Pilot lachte und klärte sie auf, dass sie gerade die Hauptstadt überflogen. »Immerhin ist Nuuk mit Abstand der größte Ort in Grönland, auch wenn hier keine zwanzigtausend Menschen leben.«

»Und Qaanaaq? Wie groß ist das?«, fragte Shary.

»Viel kleiner. Da leben rund sechshundert Leute. Die Gegend da oben ist nicht gerade beliebt, musst du wissen, und das liegt nicht nur an der Kälte. Den Amis ist dort mal ein B-52-Bomber ins Meer gestürzt und wahrscheinlich liegt dort oben noch immer eine Atombombe im Meer. Die anderen drei Sprengköpfe konnten geborgen werden, aber bei den Aufräumarbeiten sind eine Menge Grönländer verstrahlt worden.«

»Wann war das? Ist das lange her?«

»Wie man's nimmt. Das war im Januar 1968. Viele Menschen von damals leben nicht mehr, aber die radioaktiven Atome halten ein wenig länger durch. Eigentlich müsste man da Warnschilder aufstellen, aber das macht sich natürlich nicht so gut, weder bei den Einheimischen noch bei den Touristen.«

Jonathan musste an Frau Arneborg denken, an endlose Schulstunden, in denen er neben Aqqaluk gesessen und nur wenig von dem verstanden hatte, was sie ihnen über die grönländische Geschichte vermitteln wollte. Doch plötzlich machte etwas in ihm klick. Qaanaaq ... Januar 1968 ... Atommüll, der die Inuit verseucht hat ... Viele der Menschen leben nicht mehr ... Plötzlich begriff er, warum sein Vater damals so voller Hass auf die Amerikaner gewesen war.

Sie hatten beim Fernsehen in eine Sendung über Atomversuche im Pazifik gezappt und sein Vater war aufgesprungen und hatte den Apparat ausgeschaltet. »Diese Scheißamis!«, hatte er geschrien. »Diese Scheißamis haben deine Mutter auf dem Gewissen! Sie war doch schon kaputt, als sie aus dem Norden abgehauen ist, aus diesem verseuchten Nest, lange bevor sie mit den Drogen angefangen hat. Vom allerersten Tag ihres Lebens an war sie doch schon kaputt. Die Amis haben sie umgebracht, Pakku, sie und die Hälfte ihrer Familie. Die Amis und ihr Scheiß, mit dem sie die halbe Welt verseuchen.« Er, Jonathan, war da zwölf oder dreizehn gewesen und er hatte sich noch nicht an die Ausfälle seines Vaters gewöhnt. Er hatte abgewartet, bis der hasserfüllte Ausbruch seines Vaters abebbte und er in sein übliches Lamentieren über das Scheißleben im Allgemeinen verfiel. Die plötzliche Wut seines Vaters hatte ihn verwirrt. Er hatte nichts verstanden, hatte geschwiegen und nicht nachgefragt, was ihm jetzt als ein nicht wiedergutzumachendes Versäumnis erschien.

Jonathan sah auf das grüne Land hinunter, das jetzt in Weiß überging. Es würde noch ein paar Stunden dauern, bis sie in Qaanaaq landeten. In Qaanaaq, der abgelegenen Siedlung im Norden, die von den USA nach wie vor als Militärstützpunkt genutzt wurde. In Qaanaaq, dem gottverlassenen Nest, wo seine Mutter geboren worden war. Wie seltsam, dass ihn die Suche nach seinem Vater auf die Spur seiner Mutter gebracht hatte.

Hamburg, Winter 2011

Jonathan hielt sich abseits, wenn Lloyd Besuch hatte. Auch heute, an Lloyds fünfzigstem Geburtstag, saß er in dem breiten Fernsehsessel, nippte an einer Cola und beobachtete die Gäste. Lloyds Freunde benahmen sich ganz und gar nicht so, wie er sich Schwule vorgestellt hatte. Sie sahen einfach nur aus wie Leute, die ziemlich viel Geld und keine Probleme hatten. Die meisten waren um die fünfzig, überwiegend in Schwarz gekleidet, die Männer in teuren Anzügen, die Frauen in eng anliegenden Minikleidern, und hatten irgendetwas mit Architektur, Kunst oder Fotografie zu tun. Aber auch die Nachbarn von gegenüber waren da, ein älteres griechisches Ehepaar, dem der Zeitungskiosk in der Straße gehörte. Jonathan hatte bei ihnen gelernt, Tavli zu spielen, das dem Backgammon ähnlich war. Manoli und Eleni waren die Einzigen von Lloyds Bekannten, die er wirklich mochte. Noch nie hatten sie ihn mit diesem abschätzenden Blick angeschaut, mit dem er sonst betrachtet wurde – der undurchschaubare philippinische Junge, den Lloyd bei sich aufgenommen hatte und von dem niemand etwas anderes wusste als seinen Namen.

Am Anfang hatten sie natürlich alle ihre Witze gemacht. *Querido* – der Geliebte. Aber inzwischen war es klar, dass dieser Junge für Lloyd eher ein Ersatz für den Sohn war, den er nicht hatte, als ein Liebhaber. Sie beachteten ihn kaum noch. Auf eine traurige Weise wirkte er unberührbar.

Nur in den ersten Tagen – oder vielmehr Nächten – hatte Lloyd mit dem Gedanken gespielt, den Jungen zu verführen. Doch Jonathan hatte so viel Teilnahmslosigkeit und gleichzeitig Verzweiflung ausgestrahlt, dass sich Lloyd auf Abstand gehalten hatte. Und dabei war es geblieben. Aber er hatte ihn überallhin mitgenommen. Ins Theater, ins Kino, ins Museum. Jonathan hatte nach und nach weniger Stunden vor dem Computer verbracht. Im Sommer waren sie an die Ostsee gefahren, wo er Schwimmen und Frisbeewerfen gelernt hatte. Lloyd war immer wieder erstaunt gewesen, was dieser Junge alles nicht wusste und nicht konnte.

Doch auch Jonathan hatte Lloyd etwas beigebracht, und das war Backgammonspielen. Bei einem Flohmarktbummel hatte er ein schönes hölzernes Brett entdeckt und ihn dazu überredet, es zu kaufen.

»Du hast keine Ahnung, wie das geht, oder?«, hatte er gefragt. Dann hatte er Lloyd die Regeln erklärt und sie hatten einen ganzen Abend damit zugebracht, die Steine über das Brett zu schieben. Lloyd hatte sich gewundert, dass Jonathan dieses altmodische Spiel mit solch einer Selbstvergessenheit spielen konnte. An diesem Tag hatte Jonathan ihm zum ersten Mal etwas Persönliches verraten.

»Ohne dieses Spiel würdest du mich nicht kennen«, hatte er gesagt und dabei so etwas wie ein Lächeln zustande gebracht. Als Lloyd mehr wissen wollte, hatte Jonathan geschwiegen. Nein, nichts, absolut nichts wollte er von seinem früheren Leben erzählen.

Jetzt saß er inmitten der Gäste im Sessel und hatte seine gewohnt finstere Miene aufgesetzt.

Manoli, der neben seiner Frau an der Theke stand, nickte ihm zu. »Langweilst du dich?«, rief er über das Stimmengewirr hinweg.

Jonathan schüttelte den Kopf, aber Manoli kam trotzdem zu ihm hinüber. »Sollen wir ein Spiel machen?«, fragte er, zog einen runden Lederhocker neben den Sessel und ließ sich schwerfällig darauf nieder.

Doch Jonathan lehnte wieder ab. »Vielleicht später«, sagte er.

Manoli legte ihm die Hand auf den Arm. »Eleni und ich wollten dir einen Vorschlag machen, für das neue Jahr … Wir dachten, du könntest bei uns arbeiten, die Spätschicht von sechs bis neun übernehmen, dann hätten wir auch mal früher Feierabend.«

Jonathan sah ihn erstaunt an. Im Kiosk arbeiten? Nie im Leben wäre er auf die Idee gekommen. Aber warum nicht? Er ging gerne in den kleinen, vollgestopften Laden, kaufte für Lloyd dort die Morgenzeitung und schaute sich dabei die Illustrierten an. Und endlich eigenes Geld zu verdienen, wäre auch nicht schlecht. Ihm war es zwar egal, dass Lloyd alles für ihn bezahlte, aber es wäre doch beruhigend, Geld zu haben, das nicht von ihm stammte.

»Wir haben allerdings noch nicht mit Lutz darüber gesprochen«, meinte Manoli.

Jonathan musste grinsen. Manoli und seine Frau nannten Lloyd hartnäckig Lutz, seitdem sie einmal für ihn ein Paket angenommen hatten, auf dem sein Taufname gestanden hatte. Sie scherten sich nicht darum, dass er diesen

Namen nicht mochte, weil er angeblich wie eine Hundefuttermarke klang.

»Was sollte er dagegen haben?«, fragte er.

Manoli machte eine ratlose Geste. Er hatte seit ein paar Tagen das Gefühl, dass Lloyd froh war, dass der Junge ohne ihn so gut wie nie das Haus verließ. Eine Tatsache, die Lloyd eigentlich zunehmend gestört hatte. »Er soll sich nicht so in der Wohnung vergraben«, hatte er noch Anfang des Monats gesagt, als Jonathan selbst bei wunderbarstem Wetter lieber im Atelier bleiben wollte.

Jonathan konnte Abende damit verbringen, am Klavier zu sitzen, Melodien zu klimpern und sie mit selbst gefundenen Akkorden zu begleiten. Viel mehr Zeit jedoch verbrachte er in dem verlassenen Atelier, wo er alles benutzen durfte, was er vorfand. Er probierte das Werkzeug aus und klopfte an einem der großen Steine herum, bis ihm die Finger wehtaten. Es war ein Serpentin, ein sehr harter Stein, und Jonathan bearbeitete ihn mit einer verbissenen Wut, die Lloyd erschreckte. Zuerst hatte er wahllos Ecken und Kanten geglättet und neue Ecken herausgeschlagen, doch nach und nach war eine Figur entstanden, die nicht nur zufällig war. »Weißt du schon, worauf das hinauslaufen soll?«, hatte Lloyd ihn einmal gefragt und Jonathan hatte unwillig »auf nichts« gemurmelt.

Manoli wartete immer noch auf eine Antwort. »Was ist, Jonathan? Wie findest du die Idee?«

»Okay. Ich kann mal drüber nachdenken«, sagte er. »Warum eigentlich nicht?«

In diesem Moment war vom Flur her Lloyds verärgerte

Stimme zu hören. Irgendjemand schien in die Wohnung zu wollen, der definitiv nicht eingeladen war. Lloyd wurde immer lauter und Manoli stand auf.

»Ich schau mal nach, was da los ist«, sagte er. Als er den Flur betrat, versuchte Lloyd gerade, die Wohnungstür zuzudrücken. Doch der Mann vor der Tür schien sich dagegenzustemmen. »Ich hab doch das Bild gesehen! Ich bin doch nicht blöd, du Schwuchtel!«, schrie er. »Du musst doch wissen, wo er ist!«

»Jetzt reicht's!« Lloyd knallte die Tür zu und drückte sich mit dem Rücken dagegen.

»Was wollte der Mann denn?« Manoli musterte Lloyds blasses Gesicht. »Welches Bild meinte er?«

»Was weiß ich? Er sagt, er hat ein Foto von dem Jungen und mir in der Zeitung gesehen, wo wir beim Richtfest vom Stadion waren.« Lloyd stieß die Luft durch die Nase aus. »Das ist ein Verrückter … ich hab ihm klargemacht, dass er verschwinden soll«, sagte er, sichtlich bemüht, ruhig zu bleiben.

»Kanntest du ihn?«

»Nein.«

Manoli wollte die Tür öffnen. »Soll ich ihm nachgehen und schauen, ob er wirklich das Haus verlassen hat?«

»Ach, vergiss es!« Lloyds Blick streifte Jonathan, der neugierig näher gekommen war.

Manoli zuckte mit den Schultern und zwinkerte Jonathan zu. »Was meinst du, wollen wir Lutz mal erzählen, dass Eleni und ich vielleicht eine neue Aushilfe haben?«

Lloyd sah ihn irritiert an. »Sprichst du von Jonathan, Manoli?«

»Ja, er könnte sich ein paar Euro verdienen. Und wir dachten, es würde ihm Spaß machen.«

»Blödsinn«, sagte Lloyd hart, »das ist nichts für ihn.«

»Aber du hast doch selbst öfter …«

»Halt dich da raus, Manoli!«, zischte Lloyd. Eine Sekunde blieb er unschlüssig an der Tür stehen. Dann ging er ins Wohnzimmer, während Jonathan und Manoli sich fragend anschauten. Irgendetwas schien Lloyd aus dem Tritt gebracht zu haben. Er hatte ein Gesicht gemacht, als säße ihm der Teufel im Nacken.

Qaanaaq, Nordwestküste Grönlands, Sommer 2020

Jonathan hatte sich ohne nachzudenken auf den Flug nach Qaanaaq eingelassen. Aber er hatte durchaus gewusst, dass dieser Ort kurz vorm Nordpol in der grönländischen Geschichte eine tragische Rolle gespielt hatte. Qaanaaq stand wie kein anderer Ort für die Ohnmacht der Grönländer gegenüber der Großmacht USA. Bei der Zwangsumsiedlung in den Fünfzigerjahren des letzten Jahrhunderts waren die Inuit wie die Schachfiguren hin und her geschoben worden. Hals über Kopf hatten sie ihre Häuser verlassen müssen, um dem Militärflughafen Platz zu machen. Und nach der Atomkatastrophe von 1968 wurden die plutoniumverseuchten Grönländer, die ohne Schutzanzüge den Atommüll für die Amerikaner weggeräumt hatten, lediglich als ärgerlicher Kollateralschaden angesehen. Das aus dem gefrorenen Boden gestampfte neue Qaanaaq war stets der traurigste Flecken der Insel gewesen. Der Ort mit der höchsten Rate an Mord, Selbstmord und sexuellem Missbrauch.

Die Erkenntnis, dass seine Mutter ein Teil dieses Kollateralschadens gewesen sein musste, traf Jonathan wie ein Schlag. Sie war am ersten Januar 1968 geboren worden, also wenige Wochen bevor die Atombomben ins Eis stürzten. Deshalb also hatte sein Vater gesagt, dass ihr Leben von Anfang an verkorkst gewesen war. Er schaute hinunter auf das unbewohnte Land. Würde er auf dieser Reise, statt seinem Vater zu begegnen, das Grab seiner Mutter finden? Nach ihrem Tod hatten ihre Eltern sie in die Heimat zurückbringen lassen, um sie dort zu begraben. Auch seine Großeltern waren schon tot gewesen, bevor er zum ersten Mal nach Grönland gekommen war.

Jonathan spürte plötzlich schmerzhaft, wie wenig er in seinem Leben an seine Mutter gedacht hatte. Evie Kristiansen, ein Name, der ihm völlig fremd war, so selten hatte er ihn auch nur in Gedanken benutzt.

Sie flogen jetzt über das Eis, das früher einmal das ewige genannt wurde und dessen Abschmelzen von den Klimaforschern alle drei Jahre neu berechnet wurde. Der Pilot ließ ihnen zuliebe das Flugzeug sinken und Shary schrie freudig auf. »Ein Hundeschlitten! Sieh nur, Jonathan! Dreizehn Hunde sind das, die den Schlitten ziehen!«

Nun sah auch Jonathan das fächerförmige Gespann, das sich auf dem Weiß abzeichnete. Vielleicht waren die Männer auf der Jagd nach Robben. Oder war das nur eine Schlittenfahrt für Touristen? Er hatte keine Ahnung, ob hier im äußersten Norden die Robbenjagd immer noch zum Leben gehörte.

Es dauerte nicht lange, dann wurde das Eisschild vom Küstenstreifen abgelöst. »Der Flugplatz.« Der Pilot wies auf den riesigen Sendemast hin. Um ihnen einen Gefallen zu tun, zog er das Flugzeug hinaus über die Bucht von Qaanaaq und ließ es über die weißbläulichen Eisberge gleiten.

Als die kleine Maschine holpernd auf der Landebahn

aufgesetzt hatte und sie ausgestiegen waren, sog Jonathan die Polarluft ein und zog sich die Jacke an. Im Vergleich zu Nanortalik war es eisig kalt.

»Es liegt kein Schnee«, sagte Shary enttäuscht und sah hinaus auf die mit Moos und unzähligen rotblauen Blüten befleckte Felsenlandschaft.

»Nicht hier an der Küste«, erklärte ihr der Pilot. »Aber ihr könnt eine Arctic-Tour buchen und zum Inlandeis fahren.«

Es war nach Mitternacht und die Sonne verbreitete ein rötliches, warmes Licht, sodass die schnurgeraden Straßen von Qaanaaq, durch die sie mit dem Flughafentaxi fuhren, nicht ganz so öde wirkten. Die Fahrerin setzte sie am einzigen Hotel ab, das es in Qaanaaq gab. Gunnar Kleists Sekretärin hatte ihnen dort vorsorglich ein Zimmer reserviert.

Wenig später lag Jonathan müde und trotzdem aufgedreht neben Shary auf dem Bett, von wo er den orangefarbenen Himmel sehen konnte. Shary hatte sich mit deutlichem Abstand zu ihm auf ihre Seite des Doppelbettes gelegt, sich von ihm weggedreht und war schnell eingeschlafen. Er beneidete sie darum. Voller Unruhe nahm er sein Handy, um nachzusehen, ob eine Nachricht von Gunnar Kleist gekommen war. Wie lange würde es dauern, bis Gunnar den Artikel über den Tod seines Vaters schickte? Vielleicht hatte er so viel zu tun, dass er schon nicht mehr an sein Versprechen dachte, ihn zu informieren.

Noch immer waren draußen Stimmen zu hören, überdrehtes Lachen und Musik aus einem Autoradio. Jonathan schloss das Fenster und zog die Vorhänge zu. Vergeblich versuchte er abzuschalten. Als er hörte, wie in der Pension das Leben begann, ging er in den Frühstücksraum, wo ihn ein älteres dänisches Ehepaar enthusiastisch über ihren Kaffee hinweg begrüßte. Sie waren froh, auf Touristen zu treffen, um sich die Kosten für die Jeeptour zum Inlandeis teilen zu können. Jonathan war weit davon entfernt, sich wie ein Tourist zu fühlen. Aber er konnte sich vorstellen, wie sehr sich Shary über so einen Ausflug freuen würde, und so buchten sie für den Vormittag eine Eistour.

Jonathan hatte recht gehabt: Für Shary war die Fahrt, zu der sie nach dem Frühstück aufbrachen, der Höhepunkt des Urlaubs und eine Entschädigung für ihre verpatzte Wanderung. In einem klapperigen Jeep bretterten sie über eine feste Schneepiste den Fjord entlang, auf dem sich die Eisberge lautlos Richtung Meer schoben. Der Fahrer ließ den Wagen hin- und herschlingern, und Shary, die sich hinten neben den Dänen schmal machte, juchzte wie in der Achterbahn.

In das Rattern des Wagens mischte sich ein immer deutlicheres Grollen und Krachen, das so ungewohnt und seltsam klang, dass Jonathan den Fahrer irritiert anschaute. »Was ist das?«, fragte er, »ist das ein Gewitter?«

»Das ist das Eis«, antwortete der Fahrer, ein junger Inuit, der kaum älter als ein Teenager aussah. »Es bricht auseinander. Dort vorne könnt ihr es sehen.«

Kurz darauf hielt er an und sie standen unvermittelt vor der Abbruchkante des Gletschers. Es war ein Anblick, vor dem selbst der Fahrer verstummte, der ihnen gerade erzählt hatte, dass Grönlands Gletscher von Jahr zu Jahr schneller schrumpften. Eine über fünfzig Meter hohe, zerklüftete weiße Wand ragte aus dem Wasser, das vor lauter Eisschollen fast nicht zu sehen war. Wie eine dicke Schicht Papierfetzen bedeckten sie den Fjord. Der Gletscher bebte, als würde er von einer ungeheuerlichen Gewalt geschoben werden, deren Druck er unter Qualen nachgab. In das Krachen der zersplitternden Kluft mischte sich ein Quietschen und Klagen wie von tausend Tonnen Kreide, die über eine Tafel gezogen wurden. Haushohe, grünlich schimmernde Brocken stürzten sich in das Meer aus Eisschollen, als könnten sie ihren unausweichlichen Untergang nicht erwarten. Donnernd fielen sie hinab und wühlten das Wasser auf.

Ehrfürchtig wie in einer Kathedrale stand die kleine Gruppe diesem Schauspiel gegenüber. Sie waren unwillkürlich zusammengerückt. Als der Fahrer ihnen schließlich das Zeichen zum Weiterfahren gab, überboten sich Shary und das dänische Ehepaar mit ihren Begeisterungsrufen.

»Was für ein Wahnsinn!« Sharys Augen leuchteten und sie hielt sich an Jonathans Arm fest, als befürchtete sie, von der Gewalt des brechenden Eises mitgerissen zu werden.

Jonathan fiel es schwer, sich von dem Anblick des gewaltigen Gletschers zu lösen, der jeden Gedanken und jedes Gefühl klein und nichtig werden ließ. Er hätte hier ewig stehen können. Erst als sie wieder im Jeep saßen, registrierte er, dass er in der letzten Stunde kein einziges Mal an die E-Mail von Gunnar Kleist gedacht hatte.

Sie fuhren auf dem harten, trockenen Schnee entlang, bis sie bei einem Igludorf anhielten und ausstiegen. Arm in Arm schlitterten Jonathan und Shary hinter den Dänen über die Schneedecke, vorbei an Schlitten und Schneemobilen, die neben den Iglus aufgereiht waren. Shary holte ihren Pocketpower heraus, den sie vor lauter Staunen angesichts des berstenden Gletschers völlig vergessen hatte. Sie fotografierte das bis zum Horizont reichende Weiß, die Schlittenhunde mit ihren bernsteinfarbenen Augen, die perfekt runden Iglus, die man für die Touristen errichtet hatte, und ließ sich von Jonathan knipsen, wie sie grinsend unter einer Bärenfellmütze hervorlugte, die sie für viel zu viele Kronen gekauft hatte. Jonathan musste lachen. Sie sah aus wie der Inbegriff des schönen, fröhlichen Inuitmädchens, das nahezu in jedem grönländischen Werbeprospekt abgedruckt war. Die unausgesprochene Missstimmung, die seit der vorletzten Nacht zwischen ihnen geherrscht hatte, war verflogen.

Erst als der Schlittenführer ihnen zeigte, wie sie hintereinander auf dem Schlitten Platz nehmen sollten, steckte Shary ihren Apparat in die Tasche. Der Fahrer stellte sich hinter sie, ein leiser Ruf für die Hunde ertönte und mit einem Ruck fuhren sie an. Sekunden später sausten sie los, warm verpackt in Robbenfellkleidung, die Sonnenbrillen auf die Nasen gedrückt. Wie ein Boot schlingerte der Schlitten über die Ebene. Das Trommeln der Hundepfoten auf dem harten Schnee und die gellenden Rufe des Schlittenführers erfüllten die Luft, es gab keinen Weg, keine Straßen, nichts war mehr da als die Weite des Himmels und der glitzernde Schnee.

Jonathan hielt Shary fest in den Armen, er hatte die Augen halb geschlossen. Alles war wieder da, die wilde Fahrt von Ilulissat nach Norden in die Nacht hinein, mit Aqqaluk im Schlitten seines Onkels an seiner Seite, *ah kuluk, ai gnai panikuluk, panikuluk, tunirrusiara arnakuluk, maana qaujimanngittuq suli*, die alte Melodie tauchte in ihm auf; irgendwer hatte sie gesungen auf dieser Reise.

Die Fahrt dauerte kaum mehr als eine halbe Stunde. Sie drehten nur eine große Runde und kamen dann wieder bei den Iglus an, wo sie über dem Feuer gegrillten Fisch zu essen bekamen. Als Jonathan Shary neben dem jungen Jeepfahrer sitzen sah, das runde Gesicht gerötet von Wind und Kälte, die schwarzen Augen nur als Schlitze zu sehen, weil die tief stehende Sonne sie blendete, wurde er von einer Wehmut durchströmt, die ihm die Kehle eng werden ließ. Er wusste, dass dieses Gefühl etwas mit seiner Mutter zu tun hatte, mit der Ahnung, dass auch sie solche Momente erlebt haben musste, damals, als sie hier in Qaanaaq ein Kind gewesen war.

Evie Kristiansen. Wie eine einsame Eisscholle trieb der Name durch Jonathans Erinnerungen, losgelöst von allem, was sein Leben ausgemacht hatte. Es hätte nur noch ein paar gedankenlose Jahre gebraucht, dann wäre dieser Name für immer aus seiner Welt verschwunden. Jonathan spürte plötzlich eine Unruhe, als liefe ihm die Zeit davon. Am liebsten wäre er sofort zum Friedhof aufgebrochen, um nach dem Grab seiner Mutter zu suchen.

Hamburg, Winter 2011

Lloyd stand mit Jonathan in einem Kreis befreundeter Kollegen, von denen er wusste, dass sie den Jungen trotz seiner Schweigsamkeit mochten. Sie diskutierten über die neue Hafencity, die an der Elbe gebaut wurde, nicht ahnend, dass dieses Viertel mitsamt seinem sündhaft teuren Konzerthaus nur wenige Jahrzehnte existieren sollte, bis es bei den großen Überschwemmungen im Herbst 2024 in den Fluten der Elbe ertrinken würde.

Jonathan hörte dem Gespräch nicht zu. Er war mit den Gedanken noch bei Manolis Vorschlag. Eigentlich war es ihm ziemlich egal, dass aus der Arbeit im Kiosk nichts zu werden schien, aber Lloyds aufbrausendes Verhalten hatte ihn irritiert. Er hatte ihn noch nie so übellaunig erlebt. Nach wenigen Minuten löste er sich von der Gruppe und ging auf den Balkon. Obwohl es Mitte Dezember war, lagen die Temperaturen auch nachts bei acht Grad und es wehte ein milder Wind von Westen.

Als Lloyd den Jungen auf dem Balkon sah, brach er mitten im Satz ab, folgte ihm und zog ihn ins Zimmer zurück. Ungewöhnlich kurz angebunden gab er ihm den Auftrag, die Spülmaschine mit Gläsern zu füllen. Jonathan zuckte gleichgültig die Achseln und machte sich an die Arbeit. Lloyd ließ ihn nicht aus den Augen, während er sich zu seinen Freunden stellte.

»Er ist froh, wenn er was zu tun hat. So eine Stehparty

ist natürlich langweilig, wenn man noch keine fünfzig ist«, erklärte er mit einem entschuldigenden Lächeln. Auch seine Freunde lächelten – so wie sie es angesichts Lloyds väterlicher Fürsorge schon seit Monaten taten.

In den ersten Tagen, nachdem er Jonathan bei sich aufgenommen hatte, war Lloyd manchmal knapp davor gewesen, ihn vor die Tür zu setzen, weil seine Distanziertheit ihn extrem verunsicherte. Doch schon nach kurzer Zeit fühlte er sich verantwortlich für den fremden Jungen, der offenbar kein Zuhause hatte. Vergeblich hatte er versucht, aus ihm herauszubekommen, was er erlebt hatte, wodurch er so still geworden war. Jonathan schien keine Vergangenheit zu haben, jedenfalls keine, an die er zurückdenken wollte. Niemals sprach er von dem Schiff, dessen Uniform er getragen hatte, als Lloyd ihn kennenlernte, und auch nicht von seiner Familie, von Freunden, von der Schule, die er doch besucht haben musste. Sein Deutsch war fast perfekt. Nur selten fehlte ihm ein Wort oder er verstand eine Redewendung nicht. Lloyd hatte zunächst vermutet, dass er das Kind philippinischer Einwanderer war. Doch jede Frage in diese Richtung blockte Jonathan mit der gleichen Teilnahmslosigkeit ab, mit der er Fragen auswich, die seine Zukunft betrafen. Dass er sich an diesem Abend bereit erklärt hatte, über Manolis Vorschlag nachzudenken, war ein ungewohnter Schritt. Umso überraschender war es, dass Lloyd diese Initiative plötzlich im Keim erstickte.

Manoli hatte sich wieder zu seiner Frau an die Theke gestellt und ihr von Lloyds merkwürdigem Verhalten erzählt.

»Lass die beiden in Ruhe«, sagte sie. »Der Junge hat vor irgendetwas Angst. Und Lutz genauso.«

»Lutz?« Manoli schüttelte nachdenklich den Kopf. »Vielleicht hast du recht, Elena. Er hat Angst, Jonathan zu verlieren. Er liebt ihn mehr, als er zeigen kann.« Er sah zu Lloyd hinüber, dem anzusehen war, dass er nervös war. »Irgendetwas stimmt nicht mit ihm«, murmelte Manoli. »Wer weiß, was da los ist?«

Doch Lloyd wusste selbst nicht wirklich, was eigentlich passiert war. Nur, dass die Bedrohung, die über Jonathan schwebte, näher gekommen war. Sie hatte buchstäblich vor der Tür gestanden. All das Unheimliche, was er vor ein paar Tagen erfahren hatte, war plötzlich nicht nur Theorie. Jonathan war in Gefahr.

Lloyd hatte es nicht mehr ausgehalten, nichts zu wissen außer den wenigen Fakten, die er Jonathans Ausweis entnommen hatte. Und so hatte er eine Detektei beauftragt, mehr über Jonathan Querido herauszufinden. Es war keine Woche her, dass er im Büro der Detektei den dünnen Aktenordner studiert hatte. Die Informationen, die sich auf Jonathans Familie bezogen, waren dürftig, aber sie halfen ihm, die untergründige Traurigkeit zu begreifen, die der Junge ausstrahlte.

Wenn Lloyds Informant sich nicht irrte, dann waren Jonathans Eltern und Geschwister bei dem verheerenden Taifun ums Leben gekommen, der die philippinische Provinz Iloilo vor zwei Jahren heimgesucht hatte. Fast alle Städte hatten unter Wasser gestanden. In dem Chaos, das wochenlang herrschte, hatte sich die Spur des damals Fünfzehnjährigen verloren. Wie es ihm gelungen war, sich nach Manila durchzuschlagen, wo er im Dezember 2010 auf der Alaska angeheuert hatte, blieb unklar. Und ein noch größeres Rätsel war die Tatsache, dass dieser Junge aus einfacher Familie in nur sechzehn Monaten ein so unglaublich gutes Deutsch gelernt haben sollte, auch wenn er auf der Alaska überwiegend mit dem Bremer Küchenchef zu tun gehabt hatte.

Es gab jedoch eine Spur, die Jonathan deutlich hinterlassen hatte, und das war die seiner Drogenkarriere. In Manila war er mit Cannabis und Methamphetamin aufgegriffen worden. Wäre er ein paar Jahre älter gewesen, so wäre er aufgrund der großen Menge an Rauschgift zum Tode verurteilt worden, obwohl er nach Einschätzung der philippinischen Polizei nur als Drogenkurier eingesetzt worden war. Irgendwie hatte er es geschafft, aus der Untersuchungshaft zu entkommen und kurz darauf auf der MS Alaska anzuheuern, die auf einer Kreuzfahrttour im Hafen von Manila gelegen hatte. Der Detektiv vermutete, dass Hintermänner ihm diesen Job verschafft hatten, damit er Drogen nach Europa schmuggeln konnte. War es möglich, dass er schon in der Haft begonnen hatte, Deutsch zu lernen, um auf seinen Job bestmöglich vorbereitet zu sein? Lloyd hatte sich von der Arbeit des Detektivs Klarheit erhofft. Doch jetzt war er umso irritierter.

»Es scheint, als ob der Junge mit all dem nichts mehr zu tun haben will und deswegen von der Alaska abgehauen ist«, hatte der Detektiv zu Lloyd gesagt. »Seien Sie vorsichtig. Wenn er seine Auftraggeber um die Ware geprellt hat, kann das für Sie beide gefährlich werden.«

Lloyd war beunruhigt. Seit dem Gespräch mit dem

Detektiv hatte er Jonathan nie länger als ein paar Stunden alleine gelassen. Wenn er mit ihm in der Stadt unterwegs war, schaute er sich immer wieder aufmerksam um. Jetzt verstand er, warum Jonathan kein Interesse hatte, das Haus zu verlassen, sondern sich tagelang in seinem Zimmer oder im Atelier vergrub. Er hatte Angst.

Was für ein Glück, dass es nicht Jonathan gewesen war, der diesem heruntergekommenen Fremden die Tür aufgemacht hatte. »Wo ist der Junge?«, hatte der Mann gezischt und dabei wütend an Lloyds Arm gezerrt. Und Lloyd hatte gewusst, dass Jonathans Vergangenheit ihn eingeholt hatte.

Qaanaaq, Nordwestküste Grönlands, Sommer 2020

Zum zweiten Mal auf dieser Reise ging Jonathan mit Shary über einen Friedhof. Es war ein baum- und strauchloser Platz über dem Meer, nackt und kahl wie ein Fußballfeld. Der Boden war so hart, dass man einige der Särge einfach in einen Betonklotz eingegossen und auf den felsigen Untergrund gestellt hatte. Der Wind kam in Böen vom Meer, zerriss die Wolken zu rötlichen Fetzen und zerrte an den verblichenen Plastikblumen auf den Gräbern. Das Wetter war umgeschlagen, es roch nach Schneesturm. Plötzlich wusste Jonathan wieder, wie die Luft schmeckte, kurz bevor es zu schneien begann. Arm in Arm stemmten er und Shary sich gegen den Wind. Sie ließen die Grabstellen mit den Holzkreuzen links liegen, denn Jonathan hoffte, dass man seiner Mutter eine Steinplatte gewidmet hatte. Ein Holzkreuz wäre in dem rauen Klima sicher schon vermodert.

Als er Shary erzählt hatte, dass er nach dem Grab seiner Mutter suchen wollte, hatte sie unbedingt mitgewollt, obwohl ihr der Fuß wehtat. Jetzt war Jonathan froh, nicht alleine über diesen traurigen Flecken Erde gehen zu müssen. Was für ein Leben mochten die Menschen, an deren Überresten sie vorbeikamen, geführt haben, hier oben auf der Insel, wo die Hälfte des Jahres Dunkelheit herrschte?

Auch Shary wirkte bedrückt. »Wie gut, wenn man daran

glauben kann, dass sich die Seele längst in eine Wolke oder einen Adler verwandelt hat, bevor man in so einen Betonklotz eingemauert wird«, sagte sie. »Oder vielleicht schlüpft sie ja auch in einen Eisberg, wenn man hier stirbt.«

Jonathan antwortete ihr nicht; er hatte ihr gar nicht richtig zugehört, denn in diesem Moment entdeckte er das Grab seiner Mutter. »Da ist es!«, rief er. Er ließ Sharys Arm los und lief ein paar Schritte voraus. Vor einem schmucklosen, nur mit Steinen und einem grauen Quader bedeckten Grab hielt er an. Shary, die sich neben ihn stellte, sprach Namen und Daten leise aus.

Evie Kristiansen
1968 – 1994

»Sie ist im selben Jahr gestorben, in dem ich geboren wurde«, sagte Jonathan.

Die Oberkörper gegen den Wind gebeugt, standen sie vor dem Grab, Jonathan mit dem Arm um Sharys Schultern. Er versuchte sich zu erinnern. Ein einziges Bild hatte er von seiner Mutter gesehen. Ein Passfoto, auf dem sie unglaublich jung ausgesehen hatte, in einer Schublade in der Küche, zusammen mit ein paar Papieren seines Vaters. Auf seiner Flucht von der Insel hatte er das Foto mitgenommen, nur um es wenige Tage später auf dem Grund des Meeres zu versenken. Und so, wie es dort schon längst verschwunden war, hatte sich auch Jonathans Erinnerung für immer aufgelöst. Es war Maalias Gesicht, das er vor sich sah, ihre hohen Wangenknochen, die schwarzen, schrägen Augen und ihr hintergründiges Lächeln, das sie ihm in Svens Krabbenschuppen zugeworfen hatte. Waren Maalia und seine Mutter sich ähnlich gewesen?

»Er kommt ganz nach seiner Mutter.« Von irgendwo aus der Tiefe seiner Erinnerungen tauchte dieser Satz auf. Ein Satz, der ihn damals verletzt hatte, ausgegrenzt aus der Welt des großen blonden Mannes, der ihn ausgesprochen hatte. Doch jetzt, in diesem Moment, mit Shary an seiner Seite, fühlte Jonathan so etwas wie einen trotzigen Stolz. Er sah ihr also ähnlich, seiner Mutter. Er war der Sohn dieser Frau, die hier begraben lag. Er war Grönländer. Neun Jahre lang hatte er versucht, das zu vergessen. Aber es war ihm nicht gelungen und das war richtig so.

»Meinst du, dein Vater lebt vielleicht hier in Qaanaaq?«, fragte Shary unvermittelt. »Vielleicht hast du ihn deshalb im Süden nicht gefunden.«

Jonathan lachte bitter auf. »Nein. Ich hab ...«, setzte er an, doch in diesem Moment meldete sich sein Handy. Er ließ Shary los, holte das Telefon aus der Tasche und warf einen Blick auf das Display. Es war Gunnar, endlich! Mit angehaltenem Atem las er den kurzen Gruß, den Gunnar ihm zuschickte. Den Gruß und die Überschrift eines Zeitungsartikels vom 20.12.2011. Der Artikel war auf Deutsch, aus dem *Hamburger Abendblatt*. »Ungeklärter Tod im Stadtpark«.

Der eisige Wind trieb Jonathan die Tränen in die Augen und ließ die Buchstaben auf dem Display verschwimmen. Er rieb sich mit dem Ärmel übers Gesicht und starrte auf die winzigen Buchstaben. Wieso das *Hamburger Abend-*

blatt? Wieso im Stadtpark? Er war wie selbstverständlich davon ausgegangen, dass Gunnar von einem Artikel aus dem *Atuagagdliutit* gesprochen hatte. War sein Vater in Deutschland ums Leben gekommen?

»Schlechte Nachrichten?« Shary stupste ihn sachte an der Schulter.

Jonathan sah sie mit einem hilflosen Blick an. »Mein Vater ist nicht in Qaanaaq, Shary. Er ist überhaupt nicht in Grönland. Mein Vater ist seit Jahren tot. Ich weiß es seit gestern. Und jetzt erfahre ich, dass er in Deutschland gewesen ist ...« Er unterdrückte den Wunsch, den Text auf der Stelle zu lesen, steckte das Handy wieder ein und vergrub die kalten Hände in den Jackentaschen. »Komm«, sagte er. »Lass uns irgendwohin gehen, wo es nicht so schrecklich windig ist.« Unschlüssig warf er einen Blick auf das Grab seiner Mutter. Er wollte nicht wortlos gehen, wusste aber nicht, wie er sich verabschieden sollte.

»Komm«, wiederholte er und blieb dennoch vor dem Grab stehen. Da half ihm Shary. Sie holte ihren Pocketpower aus der Hosentasche, ging einen Schritt zurück und machte ein Foto von Jonathan und dem Grab seiner Mutter, im Hintergrund verschwommen das von Eisschollen bedeckte Meer. »Takussaagut«, sagte sie, faltete kurz die Hände und hakte sich dann bei Jonathan unter, »auf Wiedersehen.«

Hamburg, Winter 2011

Als Lloyd am Morgen nach seiner Geburtstagsfeier auf dem Weg zur Bäckerei war, hatte er das Gefühl, beobachtet zu werden. Das musste der fremde Mann sein! Er spähte in alle Richtungen, aber er konnte niemanden entdecken. Halbwegs beruhigt ging er weiter. Doch als er nach wenigen Minuten vom Bäcker zurückkam, erschrak er. Der Mann stand vor der Haustür und klingelte. Es schien, als hätte er nur darauf gewartet, dass Jonathan allein zu Hause war. Lloyd versteckte sich hinter einem Lieferwagen und sah zu Jonathans Fenster hoch. Er schlief noch, die Vorhänge waren zugezogen. Lloyd atmete tief durch. Zum Glück hatte er die Klingel abgestellt, vorerst gab es nichts zu befürchten.

Er musterte den Fremden. Der Mann war groß und dünn, seine blonden Haare hingen ihm in die Stirn, seine Jeans und die braune Lederjacke waren abgetragen. War er ein Drogendealer oder ein Schläger, der angeheuert worden war, um Jonathan unter Druck zu setzen? Lloyd spürte, wie ihm der Schweiß die Achseln hinunterlief.

Der Mann drückte mehrmals auf die Klingel, dann schien er aufzugeben. Er sah die Straße hinunter und ging ein paar Schritte in Lloyds Richtung. Im Schutz des Lieferwagens wich Lloyd zurück und betrat eilig den Drogeriemarkt, vor dem der Wagen stand. Und so bekam er nicht mit, wie der Fremde zur Haustür zurückging, den

Kopf in den Nacken legte und voller Verzweiflung und Wut einen Namen brüllte, der Lloyds Verwirrung noch vergrößert hätte. »Pakkutaq! Pakkuuuuuu!«

Obwohl das Gebrüll bis hoch in den vierten Stock des Hauses drang, wachte Jonathan nicht davon auf. Doch in dem Traum, den er träumte, sah er das Bild einer kalten, pulsierend grünen Frühlingsnacht, in der sein Vater auf und ab rannte, ohne Jacke und Mütze, und sich die brennende Sehnsucht nach dem Alkohol von der Seele schrie.

Lloyd war kein mutiger Mann. Aber als er vorsichtig aus der Drogerie spähte, wurde er plötzlich wütend. Sollte er sich nicht mehr auf die Straße wagen, weil dieser heruntergekommene Typ dort rumlungerte? Wie würdelos war das denn, sich vor ihm in Supermärkten und hinter Autos zu verstecken? Und vor allem war es sinnlos. Wenn der Mann an zwei Tagen hintereinander aufgetaucht war, würde er wiederkommen, bis er Jonathan irgendwann zu fassen bekam. Er beschloss, den Fremden anzusprechen. Am hellen Tag und auf offener Straße würde ihm schon nichts passieren.

Wirklich gefährlich sah der Fremde nicht aus. Sicherlich war er nur eine kleine Nummer und kein Profikiller. Trotzdem spürte Lloyd geradezu körperlich, dass von diesem Typen eine Bedrohung für Jonathan ausging. Für Jonathan und das Leben, das er nun schon seit mehr als einem halben Jahr mit ihm teilte.

Mit der Brötchentüte in der Hand ging er auf den Mann zu, genau in dem Moment, als dieser dem Haus den Rücken kehrte. Er folgte ihm die Straße hinunter, eine Allee aus dickstämmigen Kastanienbäumen, deren nackte

Äste sich in der Mitte der Straße berührten. Es kam Lloyd vor, als wäre es ewig her gewesen, dass Jonathan die Früchte in ihren stacheligen Schalen aufgehoben hatte. Wie ein Kind hatte er sie eifrig gesammelt, vorsichtig die Schalen zertreten und die Kastanien in der Küche auf die Theke gelegt. Lloyd hatte ihn gefragt, ob es auf den Philippinen auch Kastanien gäbe, doch statt einer Antwort war nur die Freude auf Jonathans Gesicht erloschen.

Als Lloyd jetzt dem Fremden in seiner speckigen Lederjacke folgte, wuchs in ihm mit jedem Schritt die Wut auf den Mann, der da so plötzlich in ihr Leben eingebrochen war. Was für ein Elend mochte Jonathan schon erlebt haben, das ihn so verschlossen hatte werden lassen? Dieser erbärmliche Typ da vor ihm war ein Teil seiner Vergangenheit. Was hatte er vor? Lloyd wusste, dass die Drogenszene zu allem fähig war. Wenn Jonathan tatsächlich mit der Alaska Rauschgift aus Asien geschmuggelt hatte, dann würde der Mann den Jungen nicht mehr in Ruhe lassen. Ganz gleich, ob Jonathan die Drogen tatsächlich irgendwo versteckt hatte oder nicht.

Es war ein feuchter, sonnenloser Morgen und Lloyd vergrub die Fäuste in den Taschen seiner Jacke. Der Fremde blieb nur kurz an der nächsten Kreuzung stehen und schlug dann den Weg Richtung Stadtpark ein. Lloyd beschleunigte seine Schritte. Es war ihm weitaus lieber, die Begegnung mit dem Mann in seinem Wohnviertel stattfinden zu lassen als irgendwo im Park, der im Winter nicht gerade belebt war. Doch ebenso wie er selbst ging auch der Mann jetzt schneller. Bevor Lloyd ihn erreicht hatte, überquerte er die vierspurige Straße, die an den

Stadtpark grenzte, und verschwand zwischen den Büschen.

Lloyd stach die kalte Morgenluft in die Lunge, als er über die Straße rannte. Vor ihm zwängte sich ein schmaler, selten benutzter Weg durch die dunkelgrünen Rhododendren. Im Sommer wurde man hier von zwei Meter hohen Wänden aus weißen und roten Blüten umschlossen. Lloyd zog die Schultern hoch. Er hatte das Haus nur in einer dünnen Baumwolljacke verlassen und spürte jetzt die Kälte, obwohl er vor Aufregung schwitzte. Der Mann vor ihm wurde langsamer, sein Gang war unsicher, fast schwankend. War er betrunken? Schließlich blieb er stehen. Er hob die Hände zum Mund, beugte den Kopf und zündete sich eine Zigarette an, wobei er Lloyd den gekrümmten Rücken zuwandte.

Der Kies knirschte unter Lloyds Sohlen. Bis auf wenige Meter hatte er den Mann jetzt erreicht, er roch bereits den Rauch des Tabaks. Gleich würde er ihn ansprechen müssen, ohne dass er eine Vorstellung davon hatte, was er eigentlich sagen sollte. Plötzlich drehte der Mann sich um. Lloyds Anblick traf ihn so unverhofft, dass er keine Zeit hatte, sich zu verstellen. Lloyd schlug eine Welle aus Hass entgegen, die ihn wie ein Hieb traf. Der Kaffee, den er auf nüchternen Magen getrunken hatte, stieg säuerlich in ihm hoch. Er ließ die Brötchentüte fallen. Reflexartig bückte er sich, um sie wieder aufzuheben, vielleicht nur, weil sein Sinn für Ordnung, dafür, wie das Leben sein sollte, durch diesen Eindringling aus den Fugen gehoben worden war.

Im selben Moment stürzte sich der Mann auf Lloyd. Er

sprang ihm in die Seite, warf ihn um und wurde von dem eigenen Schwung zu Boden gerissen. Einen Herzschlag lang war Lloyd benommen, dann schoss ihm das pure Adrenalin durch den Körper. Die Anspannung der letzten halben Stunde schlug in zügellose Wut um. Sekundenschnell war er wieder auf den Füßen, nur um sich sofort wieder auf seinen Feind zu stürzen. Seit der Kindheit war er jeder Schlägerei aus dem Weg gegangen, oft für den Preis, als Memme zu gelten. Aber jetzt drosch er auf den Mann am Boden ein, als hätte er auf diesen Moment gewartet. Blind schlug er zu, um ihn zum Schweigen zu bringen, diesen Typen, der ihn keuchend als Schwuchtel und Zuhälter beschimpfte. Das teigige Gesicht, die verschwommenen, blutunterlaufenen Augen da vor ihm reizten ihn maßlos. Wie kam dieses Schwein dazu, alles zerstören zu wollen, den Jungen, ihr gemeinsames Leben, ihre Zukunft?! Lloyd schlug wild und wahllos und trotzdem traf jeder Hieb. Er war in weitaus besserer Verfassung als sein Gegner, der vergeblich den Kopf hin und her warf, um Lloyds Fäusten zu entgehen. Mitten in sein ungebändigtes Prügeln hinein durchzuckte Lloyd die Ahnung, dass er aufhören musste, dass es ganz und gar falsch war, was er da tat. Aber er konnte nicht aufhören. Er war außer sich, außer Kontrolle. Der Mann unter ihm krallte sich an ihn, knurrte und fauchte wie ein Tier, schlang ihm die Hände um den Hals, drückte zu, und Lloyd nahm seinen Kopf und schlug ihn auf den Boden, einmal, zweimal, bis der Mann zusammensackte.

Nach Atem ringend stand Lloyd auf. Er klopfte sich den Dreck von den Knien ab, richtete seine Jacke, die verzerrt an ihm herunterhing, wischte sich mit dem Ärmel den Schweiß von der Stirn. Mit geschlossenen Augen stand er da und nahm nichts anderes wahr als das Rauschen in seinem Kopf, das sich mit dem Lärm der Straße vermischte, die hinter den Büschen entlanglief. Er musste sich zwingen, die Augen wieder zu öffnen und den Mann anzuschauen. Den Mann, dessen Schädel er so hart auf einen Stein geschlagen hatte, dass er tot war.

Qaanaaq, Nordwestküste Grönlands, Sommer 2020

Jonathan stand im Windschatten eines Felsens und las den Zeitungsartikel, den Gunnar Kleist ihm aufs Handy geschickt hatte. Es war eine knappe Meldung von zehn Zeilen.

Ungeklärter Tod im Stadtpark

Ein einundvierzig Jahre alter Deutscher, der erst vor Kurzem aus seiner Wahlheimat Grönland nach Hamburg zurückgekehrt ist, ist Opfer eines Gewaltverbrechens geworden. Peter Wildhausen wurde am 15. Dezember mit gebrochenem Genick im Hamburger Stadtpark aufgefunden, wo er laut Obduktion zwei Tage lang in einem Gebüsch gelegen hatte. Da er rund 2000 Kronen in der Brieftasche hatte und offenbar nicht ausgeraubt wurde, geht die Polizei von einer Beziehungstat aus. Es gibt jedoch bisher keine Details über die Lebensumstände des Mannes.

Jonathan lehnte sich gegen den Felsen. Ihm war schwindelig. Das Gefühl, die Erde würde sich unter ihm drehen, das er in den ersten Tagen in Nuuk gehabt hatte, hatte ihn wieder gepackt. Sein Vater war in Deutschland gewesen, in dem Jahr, in dem er selbst Grönland verlassen hatte? Konnte es denn sein, dass er all die Jahre davon ausgegangen war, sein Vater lebe in Grönland, während er in Wirklichkeit nur ein paar Kilometer von ihm entfernt auf einem Friedhof gelegen hatte? Was war die Wahrheit? Spielte Gunnar ein falsches Spiel mit ihm? Gaukelte er ihm diese Nachricht nur vor, um ihn von weiteren Nachforschungen nach seinem Vater abzuhalten? Oder war der Tote in Hamburg vielleicht gar nicht Peter Wildhausen? War er vielleicht ebenso irrtümlich identifiziert worden wie …

Jonathan biss sich auf die Lippen, bis er Blut schmeckte. Ihm kam plötzlich alles unwirklich vor. Er sah zu Shary hinüber, die einen Meter von ihm entfernt stand, um ihn ungestört lesen zu lassen. Sie erwiderte seinen Blick, und die Anteilnahme und Wärme in ihren Augen erschienen ihm in diesem Moment als das einzig Reale in seinem Leben.

»Alles okay?«, fragte sie.

»Nein«, antwortete Jonathan. »Ich brauche noch ein bisschen Zeit zum Nachdenken.«

Am graugelb leuchtenden Himmel konnte man hinter der Wolkendecke die Sonne ahnen, die hier oben im Sommer nie unterging. Jonathan sah wieder aufs Handy und las den Text ein zweites Mal. Irgendetwas irritierte ihn. Er hatte das Gefühl, als ob da etwas war, was er eigentlich erkennen müsste, wenn er nur genau genug hinschaute. Irgendein Detail in diesem Artikel hatte ihn stutzig gemacht, aber er wusste nicht, welches. Er wählte Gunnar Kleists Nummer. Kurz darauf hörte er dessen tiefe Stimme und schon bei den ersten Worten merkte er, dass Gunnar nicht bereit war, ein längeres Gespräch mit ihm zu führen.

»Hör zu«, sagte er, noch bevor Jonathan ihm eine Frage

stellen konnte. »Ich habe dir den Zeitungsartikel geschickt. Und ich kann dir auch noch verraten, dass ich deinem Vater damals das Flugticket nach Hamburg besorgt habe. Einfach nur, weil er mir nach deinem vermeintlichen Tod leidgetan hat, Pakkutaq. Er wollte nicht mehr in Grönland bleiben, das weiß ich. Aber sonst weiß ich nichts über ihn, absolut nichts. Du brauchst mich nicht noch einmal anzurufen, klar?«

Jonathan nickte. »Ja«, antwortete er. »Klar. Vielen Dank auf jeden Fall.« Er steckte das Handy wieder in die Tasche. Gunnar hatte ihn abgewimmelt. Aber es war ihm trotzdem nicht so vorgekommen, als ob er ihm etwas verheimlichen wollte. Warum auch? Inwiefern hätte ein heruntergekommener Alkoholiker Gunnar Kleist gefährlich werden können?

Plötzlich war es Jonathan, als griffe eine Hand nach seinem Herzen. Er wusste plötzlich, was ihn irritiert hatte. Es war das Datum gewesen, der vermutliche Todestag seines Vaters, der 13. Dezember 2011. Er konnte sich noch genau an jenen Tag erinnern, weil er das Ende seines Lebens mit Lloyd bedeutet hatte. Am 12.12. war Lloyds Geburtstag gewesen, sie hatten die Wohnung voller Gäste gehabt, es hatte einen Streit mit dem griechischen Nachbarn gegeben. Und am Tag danach hatte Lloyd ihn weggeschickt. Weg aus Hamburg, weg aus der Wohnung, in der er sich doch fast schon wie zu Hause gefühlt hatte, weg aus seinem Leben. Wieder einmal war ihm ganz plötzlich der Boden unter den Füßen weggezogen worden. Er hatte bis heute nicht verstanden, warum.

Nein, bis heute nicht.

Hamburg, Winter 2011

Jonathan wachte erst am Mittag auf. Der Traum, in dem er seinen Vater so entsetzlich brüllen gehört hatte, hing ihm noch nach. Es war das erste Mal gewesen, dass er von seinem Vater geträumt hatte, und er versuchte, die Erinnerung daran von sich zu schieben. Lustlos zappte er sich durch die Fernsehprogramme und stand dann auf. Lloyd war sicher schon längst wach und hatte bereits gefrühstückt. Hoffentlich war seine Laune besser als am Abend zuvor, wo er nach dem kurzen Wortwechsel mit Manoli ziemlich einsilbig gewesen war.

Lloyd war wie erwartet nicht mehr in der Wohnküche, aber er schien auch noch nichts gegessen zu haben. Normalerweise stand die Espressokanne mit frisch gebrühtem Kaffee auf dem Herd. Jonathan ging wieder auf den Flur, wo er jetzt Lloyds Stimme aus dem Arbeitszimmer hörte. Sie klang eindringlich, fast bittend und gequält, ganz anders als sonst. Unwillkürlich trat er näher an die Tür und lauschte. Er verstand nicht alles von dem, was Lloyd da sagte. Nur so viel, dass er bereit war, irgendjemandem ein paar Tausend Euro zu zahlen, wenn er ihn, Jonathan, trotz fehlender Unterlagen und Zeugnisse in den laufenden Betrieb aufnähme. Eine Minute lang war es still, dann hörte er die entscheidenden Worte. »Ja, vielen Dank für Ihr Entgegenkommen. Ich bringe den Jungen noch heute vorbei.«

Jonathan verharrte unbeweglich vor Lloyds Zimmertür und tat nichts. Er blieb einfach nur dort stehen und ließ die Zeit verstreichen. Irgendetwas war geschehen, etwas, das ihm Angst machte. Schließlich öffnete sich die Tür und Lloyd kam heraus. Sein Gesicht war wächsern und eingefallen wie das eines alten Mannes. So als hätte er dem Tod ins Gesicht geschaut. Er sah ihn nicht an, sondern schaute auf seine Hände, während er sprach.

»Ich habe dich bei einer Steinmetzschule angemeldet, Jonathan«, sagte er, »in Niedersachsen. Du kannst morgen dort anfangen. Es ist eine sehr angesehene Schule mit einem guten Internat. Es wird dir gefallen.«

Jonathan sah ihn stumm an.

»Das kommt vielleicht etwas plötzlich. Aber du musst doch irgendetwas tun. Was aus deinem Leben machen. Es wird dir gefallen«, wiederholte er tonlos.

Jonathan beobachtete Lloyds schmale, langgliedrige Finger, die sich unruhig bewegten. Wie Spinnenbeine sahen sie aus mit ihren schwarzen Härchen.

»Warum hast du mich nicht gefragt?« Jonathans Stimme klang kalt. Es war eine Kälte, die aus der Erstarrung kam.

Immer noch hob Lloyd nicht den Blick. »Es war ein überraschendes Angebot dieser Schule. Eine einmalige Chance.« Abrupt drehte er sich um, öffnete einen der Einbauschränke und holte eine Reisetasche heraus. »Ich mache dir Frühstück. Du kannst in der Zeit packen«, sagte er, als er Jonathan die Tasche vor die Füße stellte.

Zwei Stunden später saßen sie in Lloyds BMW und fuhren über die Autobahn. Jonathan saß auf dem Beifahrersitz und hielt den Prospekt der Schule in den Händen,

den Lloyd ihm ausgedruckt hatte. Ein paar bunte Seiten, auf denen junge Männer in die Kamera grinsten und stolz ihre Abschlussarbeiten präsentierten. Es waren weiße Skulpturen, einige fast mannshoch, und obwohl Jonathan nicht wollte, war sein Interesse geweckt worden. Er nahm die schneebedeckte Winterlandschaft jenseits der Autobahn nicht wahr und er schaute kein einziges Mal zu Lloyd, dessen Blick starr nach vorne gerichtet war. Nur die Arbeiten dieser Typen sah er sich an, ihre kunstvollen Meisterstücke genauso wie die Treppen und Grabsteine, die sie behauen hatten. Dieser plötzliche Aufbruch, Lloyds unverständliches Verhalten, all das, was in den letzten Stunden passiert war, hatten das bisschen Halt, das er in seinem neuen Leben gefunden hatte, zerschmettert. Er wusste instinktiv, dass er Lloyd nie wiedersehen würde. Lloyd würde sich ohne Erklärung von ihm verabschieden, würde sich verpissen, so wie Spider und so wie seine Großmutter damals. Aber er fühlte auch, dass eine Saite in ihm zu schwingen begann. Er würde Steine bearbeiten. Das einzig Feste, an das er denken konnte. Und er schwor sich, niemals mehr zurückzuschauen.

Nuuk, Grönland, Sommer 2020

Sie hatten nur noch eine Nacht in Nuuk, bis die Alaska von ihrer Rundreise zurückkehren sollte. Am Abend waren sie mit Gunnars Flugzeug in der Hauptstadt gelandet. Shary hatte noch essen gehen wollen, aber Jonathan war so schweigsam gewesen, dass sie ihren Vorschlag von alleine zurückgenommen hatte. Natürlich hatte sie verstanden, dass es ihn aus der Bahn geworfen hatte, vom Tod seines Vaters zu erfahren. Und so waren sie an ihrem letzten Abend in Grönland im Kino gewesen, Hände haltend, dicht beieinander und trotzdem auf Abstand.

Wieder einmal lag Jonathan neben Shary auf dem Bett und schaute ihr beim Schlafen zu. Er strich ihr die langen schwarzen Haare zurück, die ihr Gesicht verschleierten, und zog die Decke hoch, die halb auf den Boden gerutscht war. Draußen fiel ein unermüdlicher Sommerregen vom Himmel und durch das geöffnete Fenster kam kühle Meeresluft ins Zimmer. Jonathan stand auf und ging ans Fenster, hinter dem sich der Morgen rosa leuchtend ankündigte. Er wusste, dass er nicht mehr einschlafen konnte. Nicht nur, weil er aufgewühlt war durch das, was er in Qaanaaq begriffen hatte, sondern auch, weil ihm der Abschied von Grönland das Herz schwer machte.

Er hatte sich gegen dieses Land gesträubt und war voller Angst gewesen, es wiederzusehen. Aber er hatte die Angst überwunden, und das war gut so. Irgendwann im

Laufe seiner Reise musste er wohl begonnen haben, dem siebzehnjährigen Pakku zu verzeihen. Dem einsamen Jungen, der er einmal gewesen war. Pakkutaq Wildhausen und die Schuld, die er auf sich geladen hatte, waren ein Teil seiner Identität, der unauslöschbar zu ihm gehörte. Genauso wie dieses merkwürdige, kalte Land seiner Jugend.

Aber trotzdem blieb da eine bohrende Unruhe, das Gefühl, das Wichtigste nicht geschafft zu haben. Er hatte sich um eine Entscheidung herumgedrückt, eine Entscheidung, bei der es nicht um seine Vergangenheit ging, sondern um seine Zukunft. Wer war er? Wer wollte er sein? Auf dem Rückflug von Qaanaaq, als ihm die ganze Tragweite seiner Flucht aus Grönland bewusst geworden war, hatte er endgültig verstanden, dass er nichts ungeschehen und nichts wiedergutmachen konnte. Weder sein Vater noch der fremde Junge würden wieder zum Leben erwachen, ganz egal, was er jetzt, neun Jahre später, tat oder bleiben ließ. Aber konnte er deshalb einfach in sein altes Leben zurückkehren, wenn er wieder in Hamburg war?

»Stehst du schon auf?« Sharys verschlafene Stimme holte ihn aus seinen Gedanken. Er ging zu ihr und setzte sich auf die Bettkante.

»Schlaf weiter, Shary«, sagte er leise. »Ich werde noch ein bisschen rausgehen, um Abschied zu nehmen.«

Shary richtete sich auf, er atmete ihren warmen Schlafgeruch ein. »Wie spät ist es?«, murmelte sie.

Jonathan drückte sein Gesicht in ihr Haar und unterdrückte ein Seufzen. »Noch sehr früh. Schlaf weiter«, wiederholte er und löste sich von ihr. Dann stand er auf und holte das Etui mit dem Werkzeug aus seiner Reisetasche.

Es hatte aufgehört zu regnen, als er durch Nuuk ging. Ein paar Frühaufsteher waren schon unterwegs zur Arbeit und in einem der Cafés saßen übernächtigte Touristen, die offenbar die helle Nacht durchgemacht hatten. Jonathan ging hinein und bestellte einen Kaffee, den er im Stehen an der Theke trank. Er hatte nicht die Ruhe, länger zu bleiben.

Außer Atem kam er auf dem Friedhof an. Ohne es zu merken, war er immer schneller gegangen, den sanften Hügel hinauf. Für einen Moment ließ er sich auf der Bank nieder, von der aus Shary die Aussicht über die Bucht von Nuuk bewundert hatte. Auf dem Fjord leuchteten weiß die Jachten und Segelboote, die vor Anker lagen. Nuuk hatte sich verändert in den letzten Jahren. Es war wärmer und lebendiger geworden. Doch irgendjemand zahlt immer den Preis. Nuuks Aufstieg war unlösbar verbunden mit dem Untergang anderer Orte dieser Welt.

Jonathan stand auf und ging durch die Reihen der Holzkreuze, bis er vor dem unbehauenen Findling stand. Ohne zu zögern, nahm er sein Werkzeug und kniete sich vor den Stein. Pakkutaq Wildhausen. Buchstabe für Buchstabe hämmerte er den falschen Namen aus dem Granit. Der Schweiß stand ihm auf der Stirn, als er schließlich den blanken Grabstein vor sich hatte. Dann meißelte er die richtigen Worte in den Stein. Jonathan Querido. Geboren 1994, gestorben 2011. Es war irritierend, den eigenen Namen auf einem Grabstein zu sehen, und trotzdem war es richtig so. Das Einzige, was er für den fremden

Jungen hatte tun können, war, ihm seinen Namen zurückzugeben.

Als er ins Hotelzimmer zurückkehrte, hatte Shary schon ihre Tasche gepackt und gefrühstückt. Als sie Jonathans mit grauem Staub bedeckte Hände und Kleidung sah, schaute sie ihn fragend an. »Hast du im Bergwerk geschuftet?«

»So was Ähnliches«, antwortete er.

»Ich bin langsam nervös geworden. Ich hab schon befürchtet, du kommst nicht mehr rechtzeitig.« Sie legte den Kopf schief. »Oder willst du hierbleiben? In Grönland.«

»Wie kommst du darauf?«

»Ich hatte die ganze Fahrt über das Gefühl, dass dich hier was festhält. Und dass das nicht nur die Suche nach deinem Vater ist.«

Jonathan warf seinen Waschbeutel in die Reisetasche und schulterte sie. »Komm«, sagte er. »Wir müssen los. Ich hab keine Lust, das Schiff zu verpassen.«

»Du willst nicht darüber sprechen, oder?«

»Doch, das will ich«, antwortete Jonathan. »Das werde ich. Irgendwann.«

Kurz darauf liefen sie mit ihrem Gepäck zum Hafen, wo sie die Alaska am Pier liegen sahen. Das Kreuzfahrtschiff war zum Ablegen bereit. Jonathans Blick ging den Kai entlang und er entdeckte den Kleinbus, aus dem gerade die Wandergruppe ausstieg, mit der Shary hatte mitgehen wollen.

»Wie gut, dass du dir den Fuß verstaucht hast«, sagte er und legte den Arm um Shary.

»Na, vielen Dank.«

»Wer weiß, was sonst …«

»Pakku!« Eine Stimme ließ Jonathan mitten im Satz innehalten. Ein Klang, den er vergessen hatte und der trotzdem so vertraut war, das u länger gezogen, als es nötig gewesen wäre. Als er sich umdrehte, stand Maalia vor ihm. In einer einzigen Sekunde hatte er alles an ihr erfasst. Die dunklen mandelförmigen Augen, das leicht anzügliche Lächeln, die schwarzen Haare, die ihr so wie als junges Mädchen über den Rücken fielen, der seitlich geneigte Kopf. Er sah ihre schmalen Schultern, die Linien ihrer Schlüsselbeine, die sich unter ihrem Baumwollpulli abzeichneten, genauso wie ihre Brüste. Er nahm den weich fallenden Rock wahr, der ihr bis zu den Knien ging, ihre Beine. Ihr Anblick ging ihm durch den Körper, durch jede Zelle, und für einen Moment war alles wieder da. Seine Lust, sein Verlangen, seine Abwehr und seine Einsamkeit. Und die Zerrissenheit, die ihn damals gelähmt hatte. Er hatte sich nicht auf Maalia einlassen können. Auf Maalia genauso wenig wie auf Grönland. Er streckte die Hand nach ihr aus und zog sie im selben Moment wieder zurück.

Maalia kräuselte spöttisch die Lippen, als wüsste sie, was in ihm vorging. »Keine Angst. Ich wollte dir nur Auf Wiedersehen sagen, Pakkutaq.«

Jetzt erst wurde sich Jonathan bewusst, dass sie ihn mit seinem alten Namen angeredet hatte. Er spürte, wie Shary in seinem Arm die Muskeln anspannte und dass sie ihn von der Seite anschaute.

»Wie schön, dich zu sehen, Maalia«, sagte er und plötzlich meinte er es ernst. Für einen Moment ließ er Shary los und nahm Maalia in die Arme. Als er den Duft ihres Haares einatmete, erwartete er instinktiv, den Geruch nach Shampoo und Krabben zu spüren, den er an ihr gekannt hatte. Er gab sie frei und legte wieder den Arm um Shary.

»Das ist Maalia«, wandte er sich an Shary. »Ich kenne sie noch von früher.«

Shary nickte Maalia zu. »Ich lass euch mal allein«, meinte sie und schaute Jonathan mit einem fragenden Blick an. »Ich werde schon mal an Bord gehen. Bis später …« Sie zögerte, »Jonathan.«

Jonathan sah ihr hinterher, wie sie, immer noch leicht hinkend, zur Schiffstreppe ging.

»Sie sieht nett aus. Und ziemlich sexy.« Maalia lächelte freundlich und ohne Ironie.

»Stimmt«, antwortete Jonathan. »Sie hat mich am Anfang an dich erinnert.«

Maalia lachte und legte Jonathan die Hand auf den Oberarm. »Ich hab doch gesagt, dass du zurückkommen wirst, Pakku.«

»Ja. Aber es hat lange gedauert.«

»Ziemlich lange. Du bist ein anderer geworden.«

Jonathan sah sie fragend an. Wusste sie, was damals auf der Alaska passiert war? Hatte Aqqaluk ihr alles erzählt?

Maalia schien die Frage in seinem Blick nicht beantworten zu wollen. »Ich habe mich auch verändert. Wir alle.«

»Ja?«

»Ich habe ein Kind, ein kleines Mädchen. Avaaruna …«

In Jonathan blitzte eine Erinnerung auf, ein Satz, den er vor Kurzem gehört hatte. »Avaaruna … Das Mädchen, das sich den Kopf gestoßen hat?«

»Genau. Angas und meine Tochter. Er hat es dir nicht gesagt, neulich, als du bei uns im Büro aufgetaucht bist, nicht wahr?«

Jonathan schüttelte den Kopf. »Nein.«

»Wir sind seit einer Ewigkeit verheiratet. Seit vier Jahren.« Maalia machte eine kurze Pause. »Und zwar ziemlich glücklich, finde ich. Es ist alles gut so, wie es gekommen ist.« Sie drückte Jonathan einen flüchtigen Kuss auf die Wange. »Mach's gut«, sagte sie. »Ich muss ins Büro. Wir öffnen um zehn.«

»Das Büro der Traditionsbewegung?«

»Ja.« Sie strich sich die Haare aus der Stirn. »Auch das hat dir Anga nicht erzählt, als ihr in der Küche gesessen habt. Kein Wort darüber, dass ich auch da war. Wenn Aqqaluk nichts gesagt hätte, wäre von Anga kein Wörtchen gekommen. Er ist immer noch ein bisschen eifersüchtig auf dich.« Sie legte ihre Lippen an sein Ohr. »Zu Recht, Pakkutaq«, flüsterte sie. Dann ließ sie ihn los und lachte ihn an. »Aber wenn du nur alle neun Jahre hier auftauchst, hat er wohl nichts zu befürchten. Auf Wiedersehen, Pakku. Ich weiß, du wirst wiederkommen.« Ehe Jonathan ihr antworten konnte, war sie ihm schon entwischt und lief den Kai hinunter, ohne sich noch einmal umzudrehen.

Jonathan sah ihr nach, bis sie hinter den parkenden Lastwagen verschwunden war. Dann wandte er sich der Alaska zu, wo Shary an der Gangway auf ihn wartete und ihm zuwinkte, dass er sich beeilen sollte. Er nahm seine Reisetasche und rannte los. Mann, er freute sich auf die Rückreise mit ihr, auf die Tage an Deck genauso wie auf die Nächte. Es war gut, die Stunden in der dunklen Kabine nicht alleine sein zu müssen. Sie würden viel Zeit haben. Zeit füreinander und für die Geschichte, die er ihr erzählen wollte. Die Geschichte von Pakkutaq Wildhausen, dem unglücklichen Krabbenpuler, der ein neues Leben gesucht hatte, und von Jonathan Querido, dem Jungen, den es nun nicht mehr gab.

MS Alaska, Südwestküste Grönlands, Sommer 2025

Es war eine klare, wolkenlose Nacht, in der Pakkutaq Wildhausen in einem Liegestuhl an Deck der Alaska saß und versuchte, die Panik in den Griff zu bekommen, die ihn aus seiner Kabine getrieben hatte. Immer noch überfiel ihn manchmal, wenn er alleine im Dunkeln lag und es stickig und eng war, die Angst, die ihm die Kehle zuschnürte. Eigentlich waren sie zu dritt in der Kabine und es kam kaum vor, dass er alleine war. Doch in dieser Nacht hatte Minik so lange und laut geschrien, dass Shary mit ihm aufgestanden war, um ihn herumzutragen. Jetzt kam sie mit dem schlafenden Baby auf ihn zu und legte ihm den Kleinen in den Arm.

»Wachablösung«, sagte sie. »Ich leg mich noch mal hin. Wenn du Glück hast, schläft er jetzt endlich mal zwei Stunden lang durch.«

Pakku spürte die Wärme seines Sohnes, der zusammengerollt auf seinem Bauch lag. In dem weißen Strampler sah er aus wie ein Eisbärbaby, von den dichten schwarzen Haaren einmal abgesehen. Jonathan strich ihm vorsichtig über den Kopf. Noch immer hatte er nicht wirklich begriffen, dass dieses winzige Wesen sein Kind war, dass er Vater war und Ehemann. In den fünf Jahren, seit Shary und er auf der Alaska Grönland hinter sich gelassen hatten, war er endgültig erwachsen geworden.

Nachdem er Shary in der ersten Nacht seine Geschichte erzählt hatte, hatte es kein Zurück mehr gegeben. In Hamburg hatte er sich bei der Polizei gemeldet, wo seine Angst und sein Herzklopfen sehr schnell in Irritation umgeschlagen waren. Offenbar war niemand besonders erpicht darauf, den Totschlag an einem philippinischen Schiffsjungen wieder aufzurollen, der seit neun Jahren auf einem abgelegenen Friedhof in Grönland begraben lag und den niemand vermisste und niemand betrauerte. Jonathan hatte das Gefühl gehabt, dass ihn der Kripobeamte am liebsten wieder nach Hause geschickt hätte. Aber es hatte natürlich trotzdem einen Prozess gegeben, Jonathan war zu einer Haftstrafe auf Bewährung verurteilt worden. Nach langem Hin und Her zwischen den grönländischen, philippinischen und deutschen Behörden hatte er einen neuen Ausweis mit seinem alten Namen bekommen. Und so war er nun auch offiziell wieder Pakkutaq Wildhausen, geboren in Nuuk, Grönland.

Als Shary und er vor einem Jahr geheiratet hatten, war kurz der Gedanke in ihm aufgeblitzt, ihren Nachnamen anzunehmen. Mit einem Federstrich wäre er das Erbe seines Vaters losgeworden, die ständige Erinnerung an Peter Wildhausen und die sieben kalten Jahre, die er mit ihm verbracht hatte. Aber es war nur ein kurzer Moment des Zögerns gewesen, dann war ihm endgültig deutlich geworden, dass die Zeit des Verdrängens vorbei war.

Das große Aufräumen in seinem Leben war wie eine Befreiung gewesen und seine Liebe zu Shary war für ihn der beste Beweis, dass es richtig gewesen war, die Wahrheit zu sagen. Pakkutaq lächelte, als er daran dachte, wie er nach seiner Beichte in der Kabine der Alaska neben ihr gelegen hatte.

»Komm, Pakkutaq oder wie immer du heißen magst«, hatte sie gesagt, »ich weiß, wie wir die bösen Geister verjagen können, die hier vielleicht noch herumspuken.« Er hatte sich von ihr küssen und streicheln und verführen lassen und für ein paar Stunden tatsächlich alles vergessen, was auf diesem Schiff passiert war.

Nur in einem Punkt hatte er sich dagegen entschieden, die Vergangenheit wieder aufzurollen. Als die Kripo im Zusammenhang mit ihren Ermittlungen auf den Tod Peter Wildhausens im Hamburger Stadtpark gestoßen war, hatte er kein Wort über Lloyd und seine Vermutungen verloren. Er ahnte, dass Lloyd ihn hatte schützen wollen, mit allem, was er womöglich getan hatte, und Genaueres wollte er nicht wissen. Falls auch Lloyd von Geistern aus der Vergangenheit gequält wurde, so war das seine Sache.

Lloyd und er, sie waren sich nie wieder begegnet. Auch nicht, als er nach seiner Ausbildung wieder nach Hamburg zurückgekehrt war, um bei einem Friedhofssteinmetz zu arbeiten. Der Zufall hatte es nicht gewollt; vielleicht hatte Lloyd auch bewusst die Orte gemieden, an denen sich Jonathan aufhielt. In den letzten Jahren hatte er ein paarmal seinen Namen in der Zeitung gelesen. Offenbar hatte Lloyd zusammen mit einem Partner ein erfolgreiches Architekturbüro in Berlin aufgemacht.

Das Baby auf seinem Schoß streckte sich und öffnete die Augen. Pakku nahm seinen Sohn auf den Arm und ging mit ihm zur Reling. Dort, wo das Schiff einen Schatten aufs Wasser warf, war das tintenblaue Meer fast schwarz.

Die Sonne war bereits aufgegangen und ließ den Himmel orangefarben leuchten. Nichts war mehr übrig geblieben von Pakkus beklemmenden Gefühlen und die Vorfreude auf den Urlaub in Grönland kribbelte in ihm hoch.

»Siehst du das Land dort vorne, Minik? Es wird noch ein paar Stunden dauern, bis man Nuuk erkennen kann. Vielleicht wird Aqqaluk am Hafen stehen. Und Anga und Maalia und ihre Tochter mit dem unmöglichsten Namen, den du dir vorstellen kannst. Aber so sind sie, die Grönländer. So richtig werde ich sie nie verstehen.«

Er sah Shary zur Reling kommen. Sie stellte sich neben ihn, und während Minik auf Pakkus Arm wieder einschlief, standen sie Seite an Seite und schauten zu, wie die olivgrüne Küste Grönlands näher kam.

»Eine wahnwitzig gute Rachefantasie …«

The Independent

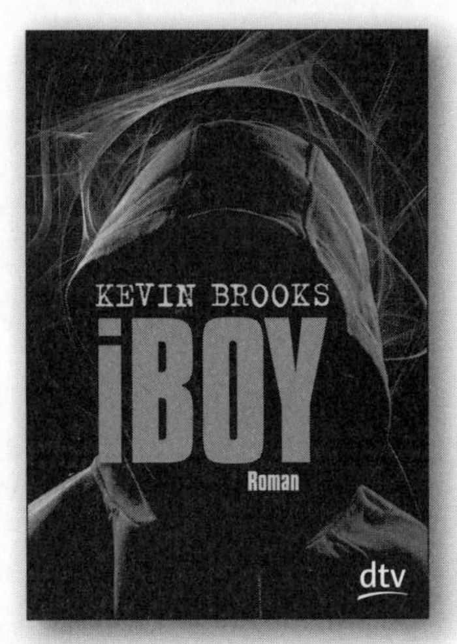

ISBN 978-3-423-**71538**-6
Auch als **ebook** erhältlich

Er hätte tot sein können. Doch das iPhone, das ihm die Schädeldecke zertrümmert, macht Tom zum Superhelden – zu iBoy. Ein Meisterwerk von Kultautor Kevin Brooks.

www.dtv-dasjungebuch.de

dtv

Verstörend, provokant, unendlich fesselnd

ISBN 978-3-423-**74003**-6
Auch als **ebook** erhältlich

»Wenn es dich gibt und du das hier liest, bin ich wahrscheinlich tot …«

www.kevin-brooks.de

Eine magische Liebesgeschichte

ISBN 978-3-423-**76109**-3
Auch als **eBook**

Als Canon verschwindet, folgt Nicki der Spur ihres Freundes durch die Nächte von Berlin. Vor Traumdeutern und falschen Freunden schützt sie Tallis – ihr Dämon wider Willen. Aber wer schützt Nicki vor Tallis?

www.dtv-dasjungebuch.de

Welcome to the

YOUNG WORLD

ISBN 978-3-423-**76121**-5
Auch als **eBook**

Ein Überlebenskampf nach eigenen Regeln.
Ein unerbittlicher Wettlauf gegen die Zeit.
Vom Oscar®-nominierten Regisseur Chris Weitz.

www.dtv-dasjungebuch.de